SPANISH
IS
FUN

SPANISH IS FUN

Lively Lessons for Beginners

HEYWOOD WALD, Ph.D.

Assistant Principal
Foreign Language Department
Martin Van Buren High School
New York City

Dedicated to serving

AMSCO

our nation's youth

When ordering this book, please specify *either* R 284 *W or* SPANISH IS FUN

AMSCO SCHOOL PUBLICATIONS, INC.
315 Hudson Street / New York, N.Y. 10013

OTHER BOOKS IN THIS SERIES:

French Is Fun
Italian Is Fun (in preparation)

Illustrations by Louise Ann Uher

ISBN 0-87720-527-2

Preface

SPANISH IS FUN provides an introductory program that makes language acquisition a natural, personalized, enjoyable, and rewarding experience.

SPANISH IS FUN is designed to help students attain an acceptable level of proficiency in four basic skills—listening, speaking, reading, and writing—developed through simple materials in visually focused contexts that students can easily relate to their own experiences. Students are asked easy-to-answer questions that require them to speak about their daily lives, express their opinions, and supply real information.

Since this worktext provides all the elements for a one-year course, it can be used as the primary text.

SPANISH IS FUN consists of two parts corresponding to the two semesters of a basic course in Spanish. Each part contains twelve lessons and ends in an achievement test. Every fourth lesson is followed by a *Repaso* unit in which structure and vocabulary are recapitulated through various *actividades*. These include games and puzzles as well as more conventional kinds of exercises. Sets of *actividades* also appear at the end of each lesson.

Each lesson includes a step-by-step sequence of the following student-directed elements, which are designed to make the materials immediately accessible as well as give students the feeling that they can have fun learning and practicing their Spanish:

Vocabulary

Each lesson begins with thematically related sets of drawings that convey the meanings of new words in Spanish, without recourse to English. This device enables students to make a direct and vivid association between the Spanish terms and their meanings. The *actividades* also use pictures to practice and review Spanish words and expressions.

To facilitate comprehension, the authors use cognates of English words wherever suitable, especially in the first lesson, which is based entirely on Spanish words that are identical to or closely resemble their English equivalents. Beginning a course in this way shows the students that Spanish is not so "foreign" after all and helps them overcome any fears they may have about the difficulty of learning a foreign language.

Structures

SPANISH IS FUN uses a simple, straightforward, guided presentation of new structural elements. These elements are introduced in small learning components—one at a time—and are directly followed by appropriate *actividades*, many of them visually cued and personalized. Students thus gain a feeling of accomplishment and success by making their own discoveries and formulating their own conclusions.

Reading

Each lesson contains a short, entertaining narrative or playlet that features new structural elements and vocabulary and reinforces previously learned grammar and expressions. These passages deal with topics that are related to the everyday experiences of today's student generation. Cognates and near-cognates are used extensively.

Conversation

To encourage students to use Spanish for communication and self-expression, the book includes short situational dialogs—sometimes practical, sometimes humorous—in most of the lessons. All conversations are illustrated to provide a sense of realism. Conversations are followed by dialog exercises that serve as springboards for additional personalized conversation.

Testing

The two Achievement Tests in SPANISH IS FUN are designed to be simple in order to give *all* students a sense of accomplishment. The tests show a variety of techniques through which comprehension of structure and vocabulary may be evaluated. Teachers may use them as they appear in the book or modify them to fit particular needs.

A separate *Teacher's Manual and Key* provides suggestions for teaching all elements in the book, additional practice and testing materials, and a complete key for all exercises and puzzles.

—HEYWOOD WALD

Contents

Spanish Pronunciation

Many Spanish letters are pronounced more or less the way they are in English. Some, however, are quite different. Unlike English letters, which may be pronounced differently in different words (thr*ough* and t*ough*, *b*ath and *b*athe, etc.), the sounds of the Spanish letters are always the same. When you are not sure how a Spanish word is pronounced, you can refer to this table.

SPANISH LETTERS	ENGLISH SOUND	EXAMPLES
a	*a* in *father*	casa (KAH-sah)
e	*ay* in *day*	mesa (MAY-sah)
i	*ee* in *meet*	libro (LEE-broh)
o	*o* in *open*	foto (FOH-toh)
u	*oo* in *tooth*	mucho (MOO-choh)
b, v	*b* in *boy*	banco (BAN-koh), vaso (BAH-soh)
c (before **a, o, u**)	*c* in *cat*	campo (KAM-poh), cosa (KOH-sah)
c (before **e, i**)	*c* in *cent*	central (sen-TRAHL), cinco (SEEN-koh)
cc	KS sound (*accept*)	acción (ahk-see-OHN)
g (before **a, o, u**)	*g* in *go*	gafas (GAH-fahs), goma (GOH-mah)
g (before **e, i**)	approximately like *h* in *hot*	general (hen-ehr-AHL)
h	always silent	hasta (AH-stah)
j	approximately like *h* in *hot*	jardín (hahr-DEEN)
l	*l* in *lamp*	lámpara (LAHM-pah-rah)
ll	approximately like *y* in *yes*	caballo (kah-BAH-yoh)
ñ	*ny* in *canyon*	año (AH-nyoh)
qu	*k* in *keep*	que (kay)
r	trilled once; phone operator saying "th*r*ree"	caro (KAH-roh)
rr (or **r** at beginning of a word)	trilled strongly	rico (RREE-koh), perro (PEH-rroh)
s	*s* in *see*	rosa (ROH-sah)
x (before a consonant)	*s* in *see*	extra (ES-trah)

SPANISH LETTERS	ENGLISH SOUND	EXAMPLES
x (before a vowel)	*ks* in *socks*	examen (ek-SAH-men)
y	*y* in *yes*	yo (yoh)
y (by itself, meaning "and")	*ee* in *meet*	y (ee)
z	*s* in *see*	zapato (sah-PAH-toh)

Some Vowel Combinations

ai, ay	*i* in *kite*	aire (I-rey), hay (I)
au	*ow* in *how*	auto (OW-toh)
ei, ey	*ey* in *they*	reina (REY-nah), rey
oi, oy	*oy* in *boy*	oiga (OY-gah), voy

El Mundo Hispánico
The Spanish-Speaking World

Primera
Parte

1 Words That Are Similar in English and Spanish; How to Say "The" in Spanish (The Definite Article, Singular)

So you're starting to study Spanish. ¡*Magnífico*! You'll have a lot of fun learning the Spanish language, and it will probably be easier than you think. Do you know why? Well, there are lots of words that are the same in English and Spanish. They may be pronounced differently, but they are spelled the same way and have exactly the same meaning. Also, there are many Spanish words that have a slightly different spelling (often just one letter) but can be recognized instantly by anyone who speaks English.

Let's look at some of them and pronounce them the Spanish way. Your teacher will show you how.

1 Words that are exactly the same in English and Spanish:

el **actor**	el **color**	el **mosquito**	la **plaza**
el **animal**	**criminal**	el **motor**	**popular**
artificial	**cruel**	**natural**	**probable**
el **auto**	el **doctor**	la **opinión**	la **televisión**
la **banana**	el **hotel**	el **piano**	**tropical**

2 Here are some Spanish words that look almost like English words. Repeat them aloud after your teacher:

el **accidente**	el **elefante**	el **león**	el **restaurante**
la **ambulancia**	**estúpido**	**moderno**	**romántico**
la **aspirina**	la **fruta**	la **motocicleta**	la **rosa**
el **automóvil**	el **garaje**	la **música**	la **secretaria**
la **bicicleta**	la **gasolina**	**ordinario**	la **sopa**
la **blusa**	la **hamburguesa**	el **plato**	el **televisor**
el **café**	**importante**	el **profesor**	el **tigre**
la **clase**	**inteligente**	la **profesora**	el **tren**

7

3 Here are some Spanish words that are different from English, but you'll probably be able to figure out their meanings. Repeat them aloud after your teacher:

la fiesta

el cine

el teatro

el amigo

el estudiante

el parque

el aeropuerto

el autobús

la estación

el jardín

el banco

la universidad

la lámpara

la flor

4 Of course, there are many Spanish words that are quite different from the English words that have the same meaning, and they must be memorized. However, you will probably be able to learn many of them easily by connecting them with some similar English word. For example: **libro** (book) is related to *library*—a place where there are many books; **pollo** (chicken) is related to *poultry*; **médico** (doctor) is related to *medical*; **disco** (phonograph record) is related to *disk*—a flat, round object.

Here are some more words to add to your Spanish vocabulary:

la pluma

el libro

el periódico

el pollo

la leche

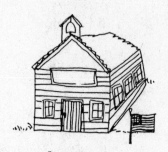

la escuela

el hombre

la mujer

el sombrero

la mano

la muchacha

el muchacho

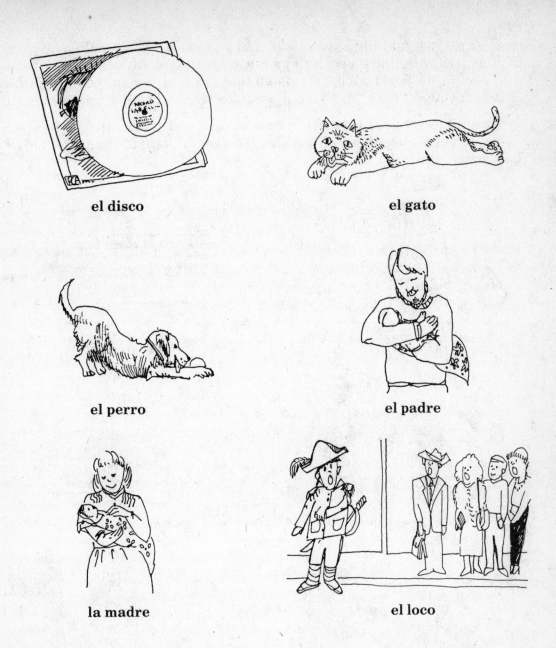

el disco

el gato

el perro

el padre

la madre

el loco

5   Well, so much for vocabulary. Let's learn a little Spanish grammar now. Did you notice the words **el** and **la** before all of the nouns? These two words are Spanish words for "the." That's right. Spanish has two words for "the" in the singular: **el** and **la**. The word **el** is used before masculine nouns and **la** is used before feminine nouns.

    The problem is: how do we tell which words are masculine and which are feminine? In some instances, it's easy. Obviously, **madre** (mother), **muchacha** (girl), and **mujer** (woman) are going to be feminine, while **padre** (father), **muchacho** (boy), and **hombre** (man) are masculine. But why should **teatro** be masculine while **lámpara** is feminine? There really is no logical reason for this. Thus, the only way to learn Spanish vocabulary is *with the Spanish word for "the."* For instance, you don't memorize **tigre** but *el* **tigre,** not **música** but *la* **música,** etc.

Here's a helpful hint: most words that end in **-o** are masculine (el pian**o**, el libr**o**, el disc**o**), and those ending in **-a** are almost always feminine (la sop**a**, la gasolin**a**, la fiest**a**). With nouns ending in other letters, just memorize the article (the word for "the") along with the word: **el** cine, **la** clase, etc.

Now that we've learned some Spanish words and grammar, let's see if we can figure out the meaning of these ten sentences. Repeat them aloud after the teacher.

1. El hotel es grande.

2. El tren es rápido.

3. La clase es importante.

4. El pollo es delicioso.

5. El criminal es cruel.

6. El doctor es americano.

7. El hombre es romántico.

8. La lección es imposible.

9. La muchacha es sentimental.

10. El perro es inteligente.

¡Fantástico! Here are ten more:

11. El presidente es famoso.

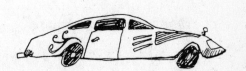

12. El auto es moderno.

13. El accidente es terrible.

14. El motor es necesario.

15. El actor es popular.

16. La fruta es tropical.

17. El estudiante es estúpido.

18. El amigo es sincero.

19. El libro es interesante.

20. La flor es artificial.

Actividades

A. Write the correct labels below the pictures, using the following words.

la blusa	el garaje	el hotel	el periódico	la rosa
el elefante	el gato	la motocicleta	el plato	el sombrero

1. _____

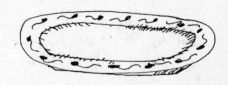

2. _____

3. _____

4. _____

14

5. _____

6. _____

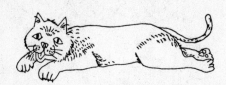

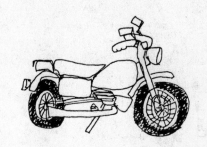

7. _____

8. _____

9. _____

10. _____

B. Label the following pictures. Make sure to use *el* or *la*.

1. _____

2. _____

15

3. _____

4. _____

5. _____

6. _____

7. _____

8. _____

9. _____

10. _____

11. _____

12. _____

16

13. _____   14. _____

15. _____   16. _____

17. _____   18. _____

19. _____   20. _____

C. Write the Spanish word for "the" before each noun: *el* if the noun is masculine, *la* if the noun is feminine.

1. _____ fiesta   2. _____ animal

3. _____ banana   4. _____ mosquito

5. _____ tren   6. _____ restaurante

7. _____ gasolina   8. _____ mujer

9. _____ hombre

10. _____ muchacho

11. _____ muchacha

12. _____ profesor

13. _____ profesora

14. _____ clase

15. _____ disco

16. _____ padre

17. _____ madre

18. _____ leche

19. _____ teatro

20. _____ aeropuerto

D. Complete each sentence correctly by writing one or more of the adjectives listed at the right.

EXAMPLE: El hotel es ___*grande, popular, famoso*___.

1. El presidente es _____.

2. La flor es _____.

3. El tigre es _____.

4. El café es _____.

5. El auto es _____.

6. El actor es _____.

7. El color es _____.

8. El tren es _____.

9. El parque es _____.

10. El hombre es _____.

a. terrible

b. tropical

c. natural

d. grande

e. importante

f. delicioso

g. popular

h. famoso

i. rápido

j. americano

E. *Sí o no.* If the statement is true, write *Sí*. If it is false, write *No*. (Watch out—there are differences of opinion!)

1. El mosquito es popular. _____

2. El elefante es grande. _____

3. El criminal es romántico. _____

4. El animal es sentimental.

5. El doctor es necesario. _____

6. El automóvil es rápido. _____

F. In each blank, write a noun that completes the sentence.

1. La _____ es grande.

2. El _____ es romántico.

3. La _____ es importante.

4. El _____ es rápido.

5. La _____ es inteligente.

6. El _____ es estúpido.

7. El _____ es necesario.

8. La _____ es famosa.

9. El _____ es moderno.

10. El _____ es delicioso.

G. *Información personal.* You now know enough Spanish to tell the class a little about yourself. Here's a list of words. Pick out all the words that you would use to describe yourself and include them in the sentence *Yo soy . . .* ("I am . . ."). Be careful! Your fellow students will show whether they agree with you or not by saying *Sí* or *No.*

Yo soy . . .

actor	grande	interesante
animal	horrible	natural
artificial	importante	popular
criminal	imposible	sentimental
cruel	inteligente	terrible

2 | The Family; How to Make Things Plural (The Definite Article, Plural)

Here we have one big happy family! Antonio, the grandfather (**el abuelo**), and Josefa, the grandmother (**la abuela**), are the grandparents (**los abuelos**). Alicia, the mother (**la madre**), and Alberto, the father (**el padre**), are the parents (**los padres**). Carlos, María, Francisco, and Rosa, the four children, are **los hijos.** But they are also brothers (**los hermanos**) and sisters (**las hermanas**). The youngest, Rosa, is only a year old; she is the baby (**la nena**) of the family. (A baby *boy* would be **el nene.**) In addition, Terror, the dog (**el perro**), and Tigre, the cat (**el gato**), are **los animales** in our family.

Here's something new. All of the words you have learned in Lesson 1 were singular (*one*). But now we are seeing words that are plural (*more than one*). How do we change words from the singular to the plural in Spanish?

1 Here are the easy rules. Look carefully at these two lists of words:

A	*B*
gato	gato**s**
padre	padre**s**
hija	hija**s**

Rule: In Spanish, if a word ends in a vowel (a, e, i, o, u), just add the letter _____ to the end of the word to make it plural.

Did you write the letter *s*? If you did, you are correct.

20

2   Now, look carefully at these two lists:

	A	B
	animal	animal*es*
	doctor	doctor*es*
	tren	tren*es*

Do the words in column *A* end in a vowel? What letters did you add to make them plural?

Rule: If a word ends in a consonant (any letter other than a, e, i, o, u; for example, l, n, r), add the letters _____ to the end of the word.

Did you say *es*? You're right! That's all there is to it. However, don't forget to make the words for "the" plural also.

3   Examine the following two lists:

	A	B
	la rosa	las rosas
	la secretaria	las secretarias
	la aspirina	las aspirinas
	el plato	los platos
	el actor	los actores
	el banco	los bancos

Rule: The plural form of **la** is _____.

The plural form of **el** is _____.

You're correct if you said that **la** becomes **las** and **el** becomes **los** in the plural. In other words, there are four words for "the" in Spanish: **el, la, los, las.**

4   One more thing. What happens when you have a "mixture" of men and women or of masculine and feminine things? Do you use **los** or **las**? The rule is: Always use the masculine (**los**) form.

Some examples:

 and  =

el padre   **la madre**   **los padres**
                                                      (the fathers or the
                                                      parents)

21

el hijo   and   **la hija**   =   **los hijos**
(the sons or the sons
and daughters, that
is, the *children*)

el hermano   and   **la hermana**   =   **los hermanos**
(the brothers or the
brothers and sisters)

el abuelo   and   **la abuela**   =   **los abuelos**
(the grandfathers or
the *grandparents*)

5   Fine! Here's a story based on the family picture on page 20:

La familia López

     La familia López es grande. Antonio y Josefa son los abuelos. El padre de la familia se llama Alberto. ¿Cómo se llama la madre? La madre se llama Alicia. Carlos, María, Francisco y Rosa son los hijos. Carlos y Francisco son hermanos. María y Rosa son hermanas. Es una familia de ocho personas. Terror y Tigre son dos animales. Terror es el perro y Tigre es el gato. La familia es de San Juan, Puerto Rico. ¿Cómo se llama la familia de usted?

VOCABULARIO

es is
y and
son are
ocho eight
se llama is called, is named

¿Cómo se llama? What is your name?
     What is his (her) name?
de of, from
usted you

Actividades

A. Write the correct labels below the pictures, using the following words:

la abuela   los abuelos   el gato   la madre   los padres
el abuelo   la nena   los hermanos el padre   el perro

1. _____

2. _____

3. _____

4. _____

5. _____

6. _____

7. _____   8. _____

9. _____   10. _____

B. Complete each sentence with the correct word(s).

1. Alicia es la _____ de la familia.

2. Los hijos se llaman _____ , _____ ,

   _____ y _____ .

3. Carlos es el _____ de Francisco.

4. Carlos y Francisco son _____ .

5. Antonio es el _____ de Alberto.

6. Tigre y Terror son dos _____ .

7. Antonio y Josefa son los _____ .

8. Los padres son _____ y _____ .

9. Rosa es la _____ de María.

10. Francisco y Rosa son los _____ .

C. Write the correct Spanish word for "the" before each noun.

1. _____ gatos   2. _____ hija

3. _____ hermano   4. _____ frutas

5. _____ perros   6. _____ lámpara

7. _____ muchachas   8. _____ discos

9. _____ nenas   10. _____ bicicletas

11. _____ sombrero   12. _____ flor

13. _____ padres   14. _____ animal

15. _____ autos   16. _____ hombre

17. _____ mujer   18. _____ teatros

19. _____ fiesta   20. _____ amigo

D. *Sí o no.* Based on what you read on page 22, tell whether the statement is true or false. If it is true, write *Sí*. If it is false, write *No* and correct the sentence orally by changing the words in italics.

1. El perro y el gato son *animales*. _____

2. *El abuelo* es el hijo de la madre Alicia. _____

3. Carlos y Rosa son *hermanos*. _____

4. *Francisco y María* son hermanos. _____

5. María y Rosa son *hermanos*. _____

6. Francisco es *el hijo* de Alberto. _____

7. Terror es el *padre* de la familia. _____

8. *Josefa y Antonio* son los abuelos. _____

9. El gato se llama *Terror*. _____

10. El padre de mi madre es mi *abuela*. _____

E. Make the following words plural. Use the correct Spanish form for "the."

1. el padre _____

2. la hija _____

3. el color _____

4. el animal _____

5. el tren _____

6. la clase _____

7. la blusa _____

8. la rosa _____

9. el auto _____

10. el abuelo _____

11. la ambulancia _____

12. el plato _____

13. el tigre _____

14. la motocicleta _____

15. el hombre _____

16. la mujer _____

17. el muchacho _____

18. la flor _____

19. el cigarrillo _____

20. el cine _____

CONVERSACIÓN

Pablo: Buenos días, señorita. ¿Cómo se llama usted?

María: Buenos días, señor. Me llamo María. ¿Y usted?

Pablo: Me llamo Pablo. ¿Cómo está usted, María?

María: Bien, gracias. ¿Y usted?

Pablo: Regular. Hasta la vista, María.

María: Adiós, Pablo. Hasta mañana.

Pablo

María

VOCABULARIO

Buenos días. Good morning.
señorita Miss, young lady
señor Sir, Mister
me llamo my name is
¿Cómo está usted? How are you?
bien well

gracias thank you, thanks
regular OK, so-so
Hasta la vista. See you later.
Adiós. Good-bye.
Hasta mañana. See you tomorrow.

F. Now have fun filling in the missing words of this conversation.

Buenos _____, señorita.

¿ Cómo se _____ usted?

_____ días, señor.

Me _____ María. ¿ Y _____?

_____ llamo Pablo. ¿ _____ está usted, María?

_____, gracias. ¿ Y _____?

_____. Hasta _____ _____, María.

_____, Pablo. Hasta _____.

G. *Información personal.* The census bureau is taking a survey about the members of your family. Fill out the required information.

Me llamo _____.

Mi (my) padre se llama _____.

Mi madre se llama _____.

Mi hermano se llama _____.

Mi hermana se llama _____.

Mi abuelo se llama _____.

Mi abuela se llama _____.

Mi perro se llama _____.

Mi gato se llama _____.

La Clase y la Escuela; The Indefinite Article (UN, UNA)

1 *Vocabulario.* Read the following words aloud after your teacher.

el profesor

la profesora

el alumno

la alumna

el papel

el libro

el lápiz

la pluma

el cuaderno

la regla

la pizarra

el diccionario

la ventana

la puerta

la señorita

la mesa

2 Now that you know all of the new words, read the following story and see if you can understand it.

La clase de español

En la escuela hay una clase de español. Es una clase interesante. La profesora de la clase se llama María Rodríguez. La señorita Rodríguez es una persona inteligente. Usa una pluma, un lápiz y muchos libros en la clase. El libro grande es un diccionario.

Hay muchos alumnos en la clase. Pedro y Carlos son alumnos de la clase. Los dos muchachos son populares. El padre de Carlos es profesor. La madre de Pedro es doctora.

La clase es grande. Hay dos puertas y muchas ventanas en la clase. La profesora usa la pizarra en la lección.

VOCABULARIO

hay   there is, there are   **ella**   she

3 As you read the story, did you notice two new little words—**un** and **una**? For example, there was **una** clase, **una** persona, **una** pluma. Also mentioned were **un** lápiz and **un** diccionario. These are the words for "a" or "an" in Spanish.

Look at these two lists:

A	B
la clase	una clase
la persona	una persona
la pluma	una pluma
la doctora	una doctora
el lápiz	un lápiz
el diccionario	un diccionario

If we remember that the words **persona, pluma,** and **doctora** are feminine (**la** persona, **la** pluma, etc.) and the words **lápiz** and **diccionario** are masculine (**el** lápiz, **el** diccionario), the rule for saying "a" or "an" in Spanish is very simple:

The Spanish word for "a" or "an" before masculine nouns is _____.

The Spanish word for "a" or "an" before feminine nouns is _____.

   OK, let's see how it works:

el libro	the book	**un** libro	*a* book
la lección	the lesson	**una** lección	*a* lesson
el cuaderno	the notebook	**un** cuaderno	*a* notebook
la mesa	the table	**una** mesa	*a* table
el actor	the actor	**un** actor	*an* actor
la actriz	the actress	**una** actriz	*an* actress

4 In the story *La clase de español* on page 31, you may have noticed something special about these two sentences:

> El padre de Carlos es profesor.
> La madre de Pedro es doctora.

Yes, you're right. When a person's trade or profession is mentioned, the word **un** or **una** is dropped: **ella es profesora,** *she is a teacher*. But notice *this* sentence:

> Ella es **una** profesora **española.**
> She is a Spanish teacher.

Un or **una** is used if the trade or profession is followed by an adjective.

Let's practice these rules. Complete the Spanish sentences as shown in the example.

EXAMPLE:

Mr. López is a doctor.

El Sr. López es ___*doctor*___ .

Mr. López is a Mexican doctor.

El Sr. López es ___*un doctor mexicano*___ .

(1) Mrs. Rodríguez is a teacher.

La Sra. Rodríguez es _____ .

Mrs. Rodríguez is an American teacher. (Use *americana*.)

La Sra. Rodríguez es _____ .

(2) Johnny is a student. (Use *estudiante*.)

Juanito es _____.

Johnny is an intelligent student.

Juanito es _____.

(3) Mary is a doctor. (This time, use *médica*.)

María es _____.

Mary is a good doctor. (Use *buena*.)

María es _____.

Actividades

A. Write the correct labels below the pictures, using the following words:

un alumno	un libro	un papel	una pluma	una puerta
un lápiz	una mesa	una pizarra	una profesora	una ventana

1. _____   2. _____

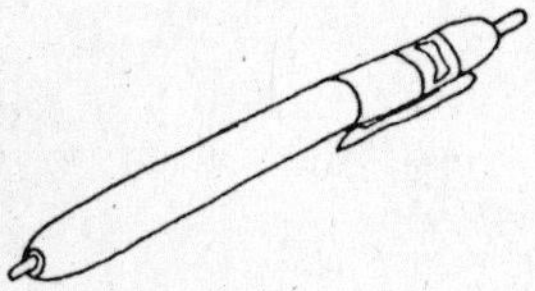

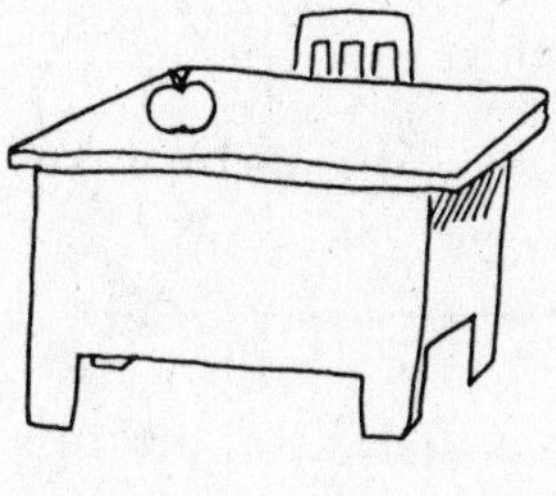

3. _____   4. _____   5. _____

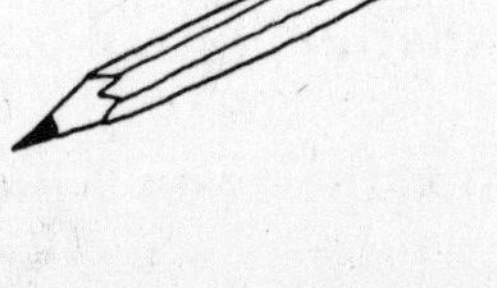

6. _____   7. _____

33

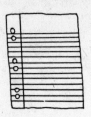  

8. _____   9. _____   10. _____

B. Now let's try some on our own. Write the Spanish word for "a" or "an" (that is, *un* or *una*) before the following nouns.

1. _____ alumna   11. _____ pizarra

2. _____ profesor   12. _____ diccionario

3. _____ papel   13. _____ ventana

4. _____ libro   14. _____ puerta

5. _____ lápiz   15. _____ lección

6. _____ pluma   16. _____ señorita

7. _____ mesa   17. _____ tren

8. _____ cuaderno   18. _____ café

9. _____ mujer   19. _____ bicicleta

10. _____ regla   20. _____ perro

C. Now let's replace the word for "the" with the word for "a" or "an."

EXAMPLE: *el* profesor   ___*un*___ profesor

1. *la* regla   _____ regla

2. *la* lección   _____ lección

3. *el* profesor   _____ profesor

4. *el* alumno   _____ alumno

5. *el* cuaderno   _____ cuaderno

6. *la* señorita   _____ señorita

7. *el* parque   _____ parque

34

8. *la* escuela _____ escuela

9. *el* hijo _____ hijo

10. *el* abuelo _____ abuelo

D. *Sí o no.* Read the story on page 31 again. If the statement is true, write *Sí*. If it is false, write *No* and correct the sentence orally by changing the words in italics.

1. La clase de español *no* es interesante. _____

2. La profesora de la clase se llama *López*. _____

3. El diccionario es un libro *grande*. _____

4. Pedro y Carlos son *hermanos*. _____

5. La madre de Pedro es *ignorante*. _____

6. La profesora usa una *pizarra* en la lección. _____

7. Hay *dos* ventanas en la clase. _____

8. Hay *tres* puertas en la clase. _____

9. Los alumnos miran *la pizarra*. _____

E. Underline the word (and its article) that does *not* belong logically in each group.

1. una puerta, una ventana, una profesora, una mesa

2. el lápiz, la pluma, el cuaderno, el café

3. inteligente, loco, estúpido, el cine

4. el abuelo, la rosa, el hijo, la madre

5. un perro, un disco, un gato, un tigre

6. la mujer, la leche, la banana, la fruta

7. americano, cigarrillo, italiano, español

8. un tren, un automóvil, una bicicleta, un jardín

9. el parque, la escuela, la universidad, la clase

10. un hospital, una ambulancia, un médico, un autobús

CONVERSACIÓN

Buenos días, Carlos.

Buenos días, señorita Rodríguez.

¿Dónde está el libro de español?

Aquí está mi libro, señorita.

Muy bien. ¿Y el lápiz?

Aquí están mi lápiz, mi pluma, y mi diccionario.

Usted está muy bien preparado, Carlos.

Gracias, señorita Rodríguez. El español es mi clase favorita.

la profesora

Carlos

VOCABULARIO

¿dónde? where?
está is; **usted está** you are
están are

aquí here
muy very
preparado prepared

F. Complete this conversation by writing the pupil's replies, choosing them from the following list:

> Aquí está mi libro, señorita.
> Gracias. El español es mi clase favorita.
> Buenos días, señorita.
> Yo me llamo Carlos.
> Muy bien. ¿Y usted?
> Aquí está mi lápiz.

Buenos días, Carlos.

¿Dónde está el libro de español?

Muy bien. ¿Y el lápiz?

Usted está muy bien preparado, Carlos.

G. *Información personal.* The school year has just begun, and you are writing, in Spanish, a shopping list of some school supplies that you will need. What would you include in your list? Write at least six items.

1. _____   2. _____

3. _____   4. _____

5. _____   6. _____

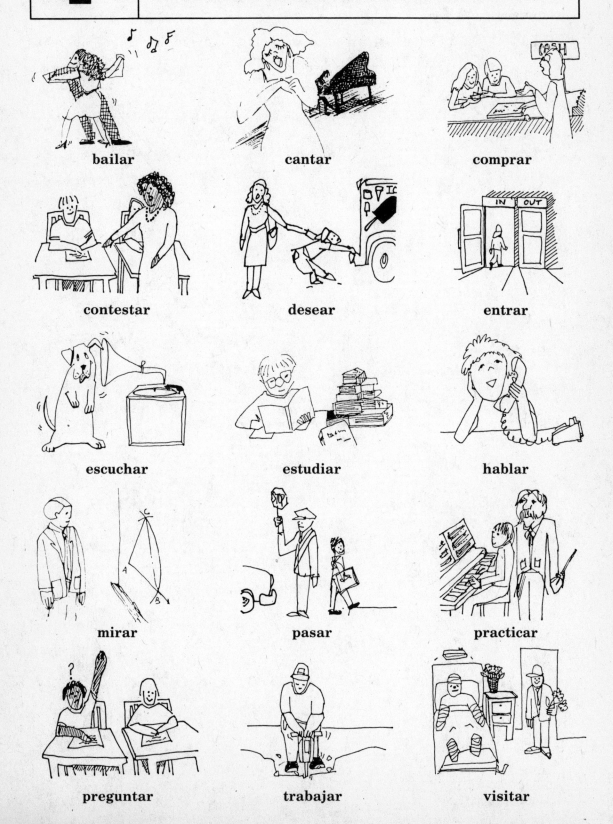

bailar

cantar

comprar

contestar

desear

entrar

escuchar

estudiar

hablar

mirar

pasar

practicar

preguntar

trabajar

visitar

1 You have just learned 15 important "action words" or *verbs*. Notice that they all end in **-ar** and they all mean *to do something:* **bailar,** to dance; **entrar,** to enter; **trabajar,** to work, etc.

If we want to use these words to express our ideas, we must first make some changes. Let's see:

STEP 1 First we have to learn some subjects. For example:

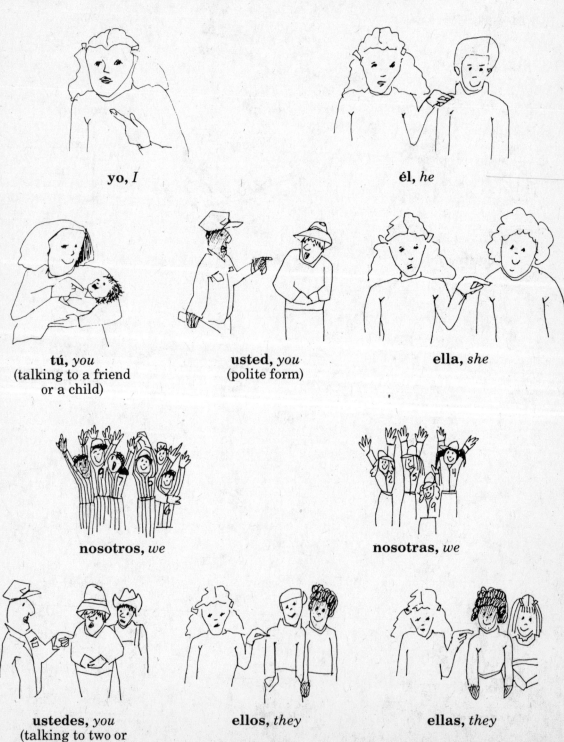

yo, *I*

él, *he*

tú, *you*
(talking to a friend
or a child)

usted, *you*
(polite form)

ella, *she*

nosotros, *we*

nosotras, *we*

ustedes, *you*
(talking to two or
more people)

ellos, *they*

ellas, *they*

40

STEP 2   We must remove the **-ar** ending from the infinitive and substitute another ending that goes with the subject. (The infinitive is the form of the verb that ends in **-ar**.) Here are the endings that go with the different subjects:

subject	ending
yo	**-o**
tú	**-as**
usted	**-a**
él	
ella	**-a**
nosotros	
nosotras	**-amos**
ustedes	**-an**
ellos	
ellas	**-an**

2   Let's see how this works. Take, for example, the **-ar** verb **hablar**, *to speak*. If we want to say "I speak," we must write the word **yo,** which means *I*, then take off the **-ar** of the infinitive **hablar** and add the ending **-o:**

habl~~ar~~

yo habl**o**   I speak

We do the same for all the other subjects and we get:

tú habl**as**	you speak (friendly form)
usted habl**a**	you speak (polite form)
él **ella** } habl**a**	he she } speaks
nosotros **nosotras** } habl**amos**	we speak
ustedes habl**an**	you speak (plural form)
ellos **ellas** } habl**an**	they speak

Now can *you* do one? Take the verb **pasar**, *to pass*. Remove the **-ar**, look at the subjects and add the correct endings:

yo pas _____   I pass

tú pas _____   you pass (talking to a friend)

usted pas _____   you pass (polite)

él pas _____   he passes

ella pas _____   she passes

nosotros pas _____   we pass

41

ustedes pas _____   you pass (talking to more than one person)

ellos pas _____   they pass

3 Fine! But here's a question. The subjects listed above are all *pronouns* (**yo, tú, usted, ella,** etc.). What if the subject is *not* a pronoun but a name or a person or a thing? For example: **Pedro, la muchacha, los abuelos, el perro.** The answer is simple. **Pedro** is equivalent to *he*, **la muchacha** to *she*, **los abuelos** to *they*, and **el perro** to *he* (there is no separate word for *it* in Spanish).

Therefore, the ending on the verb that goes with **Pedro** would be **-a**: Pedro pas**a**.

Other examples: la muchacha pas**a**
los abuelos pas**an**
el perro pas**a**
María y yo pas**amos**

In the fourth example, above, do you see why the **-amos** ending is used? Since "Mary and I" = *we*, the appropriate ending is the one that goes with **nosotros** or **nosotras**.

4 An important point regarding the use of subject pronouns (**yo, tú,** etc.):

In Spanish, the pronoun is often omitted if the meaning is clear. For example, "I speak Spanish" may be either **yo hablo español** or simply **hablo español.** The **yo** isn't really necessary except for emphasis, since the **-o** ending in **hablo** occurs only with the **yo** form. Another example: "we are working" may be **nosotros trabajamos** or simply **trabajamos,** since the verb form that ends in **-amos** cannot be used with any other subject pronoun.

In fact, *any* subject pronoun may be omitted if it's not needed for clarity or emphasis:

—¿Dónde está María?   "Where is Mary?"
—**Está** en el mercado.   "*She is* in the market."
—¿Qué **hace**?   "What *is she doing?*"
—**Compra** bananas.   "*She is buying* bananas."

In the lessons that follow, we will sometimes omit the subject pronoun.

5 Here's a story using the verbs that you have just learned. See if you understand it. (The verbs are underlined.) Oh yes, here's one more verb you'll need to know: **usar,** *to use.*

La clase de la señorita Rodríguez

La señorita Rodríguez es profesora y trabaja en una escuela grande. Los alumnos de la escuela estudian el español, el inglés, las matemáticas y muchas cosas. La profesora usa papeles, libros y un diccionario en la lección. Cuando la profesora habla, los alumnos escuchan con atención. Cuando la señorita Rodríguez pregunta, ellos contestan bien.

Ellos practican mucho porque desean usar las palabras correctas. Un día, ellos bailan y cantan en español. Ellos desean visitar a España.

VOCABULARIO

la **cosa** thing   **España** Spain
cuando when   el **inglés** English
el **día** day   las **matemáticas** mathematics

Actividades

A. *Sí o no.* The following statements are based on the story you have just read. If the statement is true, write *Sí.* If it is false, write *No* and correct the sentence orally by changing the words in italics.

1. La señorita Rodríguez trabaja en *casa.*   _____

2. Los alumnos estudian el *francés.*   _____

3. La profesora usa *una pistola.*   _____

4. *Los alumnos* escuchan bien.   _____

5. *La profesora* pregunta y *los alumnos* contestan.   _____

6. La señorita Rodríguez es una *alumna* muy buena.   _____

7. *Los padres* practican mucho.   _____

8. Los alumnos desean visitar a *California.*   _____

9. Cuando la profesora *escucha,* los alumnos *hablan.*   _____

10. *La profesora estudia* el inglés y las matemáticas.   _____

B. Write the following titles below the pictures they describe.

La muchacha canta.   Ellos hablan.
Nosotros entramos.   Tú bailas.
Yo practico.   Usted compra.
Los hombres trabajan.   Yo escucho.
El profesor pregunta.   Los animales pasan.

1. _____   2. _____

3. _____   4. _____

5. _____   6. _____

7. _____   8. _____

9. _____   10. _____

C. Here are ten Spanish "action words." Tell who is "doing the action" by writing every pronoun that can be used with the verb. Then write what each verb means.

EXAMPLE:

<u>usted, él, ella</u> habla   <u>you speak, he speaks, she speaks</u>

1. _____ contesto   _____

2. _____ compras   _____

3. _____ cantan   _____

4. _____ deseamos   _____

5. _____ entro   _____

6. _____ estudian   _____

7. _____ trabaja   _____

8. _____ usan   _____

9. _____ pregunto   _____

10. _____ visitas   _____

D. Write the form of the verb that is used with each subject. Remember to remove the -ar of the infinitive before adding the correct ending.

EXAMPLE: *hablar:* yo ___*hablo*___

1. *usar:* yo _____

2. *trabajar:* tú _____

3. *contestar:* él _____

4. *preguntar:* ella _____

5. *escuchar:* usted _____

6. *visitar:* nosotras _____

7. *practicar:* ustedes _____

8. *pasar:* ellos _____

9. *entrar:* Alberto y yo _____

10. *bailar:* María y Pedro _____

E. Here's an exercise that's a little harder. Write complete Spanish sentences by using the Spanish word for the English verb in parentheses.

1. Yo (speak) español. _____

2. Tú (work) mucho. _____

3. María (dances) bien. _____

4. El muchacho (sings) en español. _____

5. Nosotros (buy) muchas cosas. _____

6. Mi padre (wants) visitar la escuela. _____

7. Ellas (enter) en la clase. _____

8. Los alumnos (study) en la escuela. _____

9. El perro (passes) por el parque. _____

10. Ustedes (practice) las lecciones. _____

11. Yo (visit) a la profesora. _____

12. Tú (listen) en la clase. _____

13. Pedro y yo (answer). _____

14. Yo (use) el diccionario. _____

15. Ricardo (asks) a un amigo. _____

CONVERSACIÓN

Hola, Rosa. ¿Qué tal? ¿Cómo estás?

Bien, gracias, Francisco. ¿Y tú?

Así así. ¿Trabajas mucho en la clase de español?

Sí, hablamos en español todos los días.

Pues, es necesario practicar mucho.

Sí. Ahora los alumnos entran en la clase. Adiós.

Adiós, Rosa. Hasta mañana.

Hasta luego, Francisco.

VOCABULARIO

Hola. Hello.
¿Qué tal? How's everything?
Así así. So-so.
trabajar mucho to work hard
pues . . . well . . .

todos los días every day
ahora now
Hasta mañana. See you tomorrow.
Hasta luego. See you later.

F. Complete this conversation by writing Rosa's replies, choosing them from the following list:

> Hasta luego, Francisco.
> Sí. Ahora los alumnos entran en la clase. Adiós.
> El español es mi clase favorita.
> Aquí están mi lápiz, mi pluma, y mi diccionario.
> Bien, gracias. ¿Y tú?
> Sí, hablamos en español todos los días.

Hola, Rosa. ¿Qué tal? ¿Cómo estás?

_____

Así, así. ¿Trabajas mucho en la clase de español?

_____

Pues, es necesario practicar mucho.

_____

Adiós, Rosa. Hasta mañana.

_____

G. *Información personal.* List some of the things you do every day by supplying verbs to complete the following sentences. (Some sentences can be completed with more than one possible verb.)

Yo _____ por teléfono.

_____ en la casa.

_____ la televisión.

_____ la radio.

_____ la lección.

_____ el libro.

_____ en la clase.

1 *Vocabulary*

NOUNS

la **abuela**	la **fiesta**	la **mujer**
el **abuelo**	la **flor**	la **nena**
los **abuelos**	el **gato**	el **nene**
la **alumna**	la **hija**	el **padre**
el **alumno**	el **hijo**	los **padres**
la **amiga**	los **hijos**	el **papel**
el **amigo**	el **hombre**	el **periódico**
el **autobús**	el **inglés**	el **perro**
el **automóvil**	el **lápiz**	la **pizarra**
el **cine**	la **lección**	la **pluma**
la **cosa**	el **libro**	el **profesor**
el **cuaderno**	la **madre**	la **profesora**
el **día**	las **matemáticas**	la **puerta**
el **diccionario**	la **mesa**	la **regla**
la **escuela**	la **muchacha**	la **señorita**
España	el **muchacho**	la **ventana**

VERBS

bailar	**escuchar**	**practicar**
cantar	**estudiar**	**preguntar**
comprar	**hablar**	**trabajar**
contestar	**llamar** (se llama)	**usar**
desear	**mirar**	**visitar**
entrar	**pasar**	

ADJECTIVES

delicioso	**importante**	**loco**
estúpido	**inteligente**	**moderno**
famoso	**interesante**	**romántico**
grande		

Adiós.
¿Cómo se llama usted?
Yo me llamo _____.
Él ⎫
Ella ⎭ se llama _____.
cuando
pues

¿Cómo está usted?
¿Qué tal?
Muy bien, gracias.
Así así.
Regular.

Hasta la vista.
Hasta mañana.
Hasta luego.

2 *Grammar*

1. Masculine and feminine nouns. Definite articles **el, la.**

   el muchacho
   la muchacha

   el hombre
   la mujer

2. Singular and plural of nouns. Definite articles **los, las.**

   el perro   **los** perro**s**
   la alumna   **las** alumna**s**

   el profesor   **los** profesor**es**
   la flor   **las** flor**es**

3. Conjugation of regular **-ar** verbs.

   yo mir **o**   nosotros(-as) mir **amos**
   tú mir **as**   ustedes mir **an**
   usted mir **a**   ellos mir **an**
   él mir **a**   ellas mir **an**
   ella mir **a**

PICTURE STORY

Can you read this story? Much of it is in picture form. Whenever you come to a picture, read it as if it were a Spanish word.

Un amigo, Carlos López

Carlos es un muchacho de . Él habla español en . La

 de Carlos se llama Alicia; el se llama Alberto. El padre

es 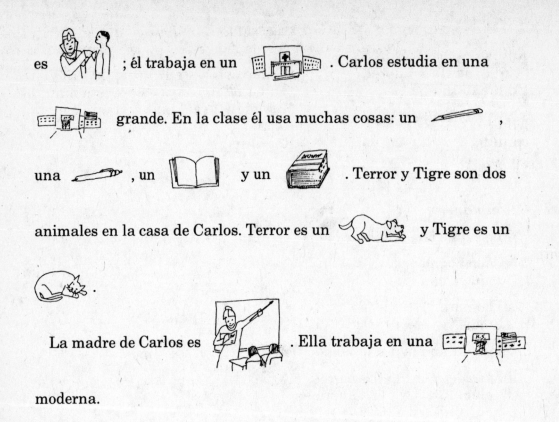 ; él trabaja en un ![building] . Carlos estudia en una

![school] grande. En la clase él usa muchas cosas: un ![pencil] ,

una ![pen] , un ![book] y un ![dictionary] . Terror y Tigre son dos

animales en la casa de Carlos. Terror es un ![dog] y Tigre es un

![cat] .

La madre de Carlos es ![teacher] . Ella trabaja en una ![school]

moderna.

Actividades

A. *Acrósticos.* Using the clues on the left, write Spanish words that begin with the letters in the word TELEVISOR.

clue								
you (familiar)	T							
to study	E							
pencil	L							
to go in, enter	E							
to visit	V							
important	I							
young lady	S							
ordinary	O							
fast	R							

B. Here's another one—this time with pictures! In these eight rows, write the letters that spell the Spanish words suggested by the pictures shown below. *Hint:* The letters in the first column (reading down) spell the Spanish word for what all languages consist of.

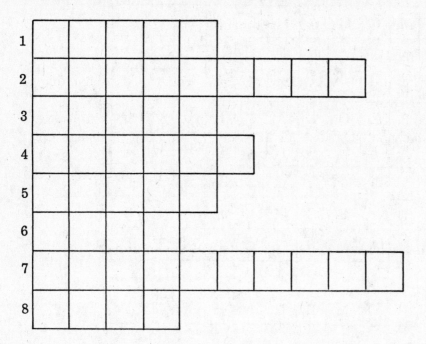

1.

2.

3.

4.

5.

6.

7.

8.

C. *Buscapalabras.* Find 16 Spanish nouns hidden in this puzzle. List them below.

M	C	U	A	D	E	R	N	O	L
A	I	A	B	F	L	O	R	D	I
D	N	C	A	T	Á	T	N	E	V
R	E	G	L	A	P	L	O	C	O
E	F	H	A	L	I	B	R	O	M
I	J	J	E	U	Z	V	X	R	O
L	I	P	S	M	E	S	A	R	T
H	A	M	N	N	O	P	N	E	U
P	L	U	M	A	Q	R	E	P	A
H	O	M	B	R	E	S	N	T	U

1. _____   2. _____

3. _____   4. _____

5. _____   6. _____

7. _____   8. _____

9. _____   10. _____

11. _____   12. _____

13. _____   14. _____

15. _____   16. _____

D. *Verb game.* Here are ten pictures of people doing things. Describe each picture using the correct form of one of the following verbs:

bailar	desear	hablar	preguntar
cantar	entrar	mirar	trabajar
comprar	escuchar	pasar	usar
contestar	estudiar	practicar	visitar

EXAMPLE:

la muchacha ____*canta*____

1. el alumno _____

2. los alumnos _____
   (*two* possible verbs)

3. nosotros _____

4. las mujeres _____

55

5. yo _____

6. ellos _____

7. la mujer _____

8. los hombres _____

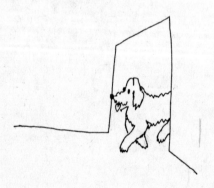

9. el perro _____

10. la muchacha _____

E. *Oficina de objetos perdidos* (*Lost and Found*). You are working in a lost-and-found office. The following objects have been brought in.

Make a list of them to be posted. (In Spanish, of course!)

OBJETOS PERDIDOS

1. _____   2. _____

3. _____   4. _____

5. _____   6. _____

7. _____   8. _____

9. _____   10. _____

11. _____   12. _____

13. _____   14. _____

15. _____

<table>
<tr><td>

5

</td><td>

How to Ask a Question and Say "Not" in Spanish

</td></tr>
</table>

1 Look at the following sentences:

Pedro baila.

Ricardo no baila.

Yo contesto.

Yo no contesto.

Ellos estudian.

Ellos no estudian.

Do you see what we've done? If you want to make a sentence negative in

Spanish, what word is placed directly in front of the verb? _____

If you wrote "no," you are correct.

No matter what we say in English—"doesn't," "don't," "aren't," "won't," etc.—in Spanish the rule is always the same: To make a sentence negative, put the word **no** in front of the verb.

Here are some examples:

Ella **no** trabaja.	{ She doesn't work. *or:* She isn't working.
Nosotros **no** entramos.	We don't (do not) enter.
Usted **no** escucha.	{ You're not listening. *or:* You don't listen.

Let's see you do some now. Make the sentences in column *A* negative by completing the sentences in column *B*. Then write the meaning of each negative sentence on the line below it.

A	*B*
1. Yo hablo.	Yo _____ hablo.
	_____
2. Ella practica.	Ella _____ practica.
	_____
3. Ustedes usan lápices.	Ustedes _____ usan lápices.
	_____
4. Tú contestas.	Tú _____ contestas.
	_____
5. Ellos escuchan.	Ellos _____ escuchan.
	_____
6. María baila.	María _____ baila.
	_____
7. Los automóviles pasan.	Los automóviles _____ pasan.
	_____
8. La profesora trabaja.	La profesora _____ trabaja.
	_____

9. El tigre entra.

El tigre _____ entra.

_____

10. Los padres preguntan.

Los padres _____ preguntan.

_____

2 *¡Magnífico!* You now know how to make a Spanish sentence negative. But do you know how to ask a question in Spanish? It's just as simple. Look at the following sentences:

Usted habla español.	**¿Habla usted** español?
Ella canta.	**¿Canta ella?**
Los alumnos estudian.	**¿Estudian los alumnos?**
Pedro desea hablar.	**¿Desea Pedro** hablar?

What have we done? We have learned that the subject (**yo, él, ella, usted, los alumnos,** etc.) goes *after* the verb when we ask a question. (You have probably also noticed that in addition to the regular question mark we use in English, an *upside-down* question mark is placed at the beginning of a question.) That's all there is to it. Here are some more examples for practice. Make questions of these sentences and tell what they mean:

1. Usted pregunta. _____

2. Los muchachos contestan. _____

3. El amigo entra. _____

4. La madre desea escuchar. _____

5. Los hombres compran. _____

6. El hermano visita. _____

7. Las hijas cantan. _____

8. El médico escucha. _____

9. La mujer trabaja. _____

10. Nosotras bailamos. _____

Actividades

A. To the left of each sentence in column *A*, write the letter of the English sentence in column *B* that means the same thing.

A	*B*
_____ 1. Usted no usa lápiz.	*a.* Do you want to come in?
_____ 2. ¿Trabaja usted mucho?	*b.* They don't speak Spanish.
_____ 3. ¿Estudian ustedes?	*c.* Is there a dictionary in class?
_____ 4. Ella no contesta en la clase.	*d.* You don't use a pencil.
_____ 5. ¿Es inteligente el profesor?	*e.* Do you want to visit the university?
_____ 6. ¿Practican ellos en la escuela?	*f.* Do you work hard ("a lot")?
_____ 7. ¿Hay un diccionario en la clase?	*g.* The actor does not dance.
_____ 8. ¿Escuchas tú la música?	*h.* My teacher doesn't talk a lot.
_____ 9. ¿Desea usted visitar la universidad?	*i.* Do you study?
_____ 10. ¿Pasan las chicas ahora?	*j.* She doesn't answer in class.
_____ 11. El actor no baila.	*k.* Are the girls passing now?
_____ 12. ¿Canta él?	*l.* Is the teacher intelligent?
_____ 13. ¿Desean ustedes entrar?	*m.* Do they practice in school?
_____ 14. Ellos no hablan español.	*n.* Are you listening to the music?
_____ 15. Mi profesor no habla mucho.	*o.* Does he sing?

B. Here's a short story. Can you understand it?

En América el automóvil es muy importante. Los hombres y las mujeres, los profesores y los estudiantes usan automóviles. Los médicos necesitan automóviles para visitar a los pacientes en el hospital. Los hombres y las mujeres usan el automóvil para ir al trabajo y para comprar cosas en el supermercado.

—Pedro, ¿usa el automóvil mucha gasolina?

—Sí y no. Los automóviles grandes usan mucha gasolina. Mi automóvil es pequeño. No usa mucha gasolina.

Answer the following questions in Spanish:

1. ¿Es importante el automóvil en América?

_____

2. ¿Usan automóviles los médicos?

_____

3. ¿Usan automóviles los niños pequeños?

_____

4. ¿Usa mucha gasolina un automóvil pequeño?

_____

5. ¿Necesita usted un garaje para el automóvil?

_____

CONVERSACIÓN

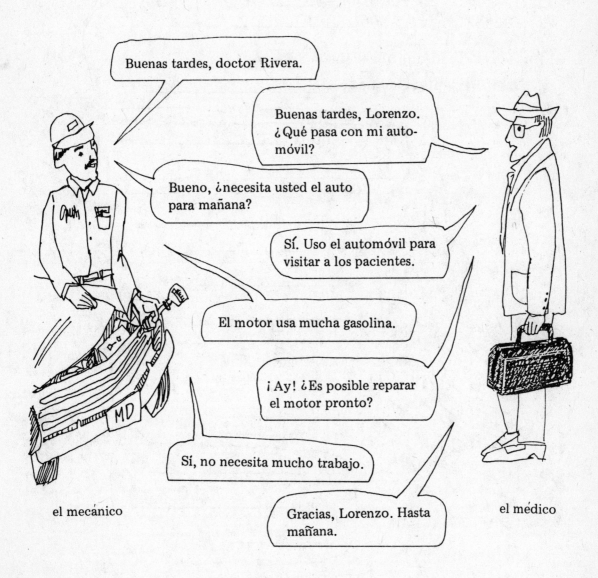

Buenas tardes, doctor Rivera.

Buenas tardes, Lorenzo. ¿Qué pasa con mi auto-móvil?

Bueno, ¿necesita usted el auto para mañana?

Sí. Uso el automóvil para visitar a los pacientes.

El motor usa mucha gasolina.

¡Ay! ¿Es posible reparar el motor pronto?

Sí, no necesita mucho trabajo.

Gracias, Lorenzo. Hasta mañana.

el mecánico

el médico

VOCABULARIO

Buenas tardes Good afternoon
¿Qué pasa? What's happening?

Bueno, . . . Well, . . .
para mañana for tomorrow

C. Complete this conversation by writing the missing words.

Buenas _____, doctor Rivera.

_____, Lorenzo.

¿Qué _____

con _____ _____?

¿Necesita usted el _____ para

_____?

Sí. Uso _____

para _____ a mis

_____.

El _____ usa mucha

_____.

¡Ay! ¿Es _____ re-

parar el _____

_____?

Sí, no necesita _____.

_____, Lorenzo. Hasta

_____.

D. *Información personal.* The senior class has just chosen you as "the student most likely to succeed." Congratulations! Use the following verbs (or any others you have learned) to tell us what you do (or don't do) to give the impression that you have the makings of success. For example, *Yo siempre escucho cuando la profesora habla.* Start each sentence with *Yo . . .* or *Yo no . . .*

contestar   desear   escuchar   estudiar   mirar   preguntar

1. _____

2. _____

3. _____

4. _____

5. _____

6. _____

7. _____

6 *Uno, Dos, Tres, . . .* How to Count in Spanish

1 **Los números 1–20.** Repeat them aloud:

0 cero

1 uno	6 seis	11 once	16 diez y seis
2 dos	7 siete	12 doce	17 diez y siete
3 tres	8 ocho	13 trece	18 diez y ocho
4 cuatro	9 nueve	14 catorce	19 diez y nueve
5 cinco	10 diez	15 quince	20 veinte

2 **Un poema**

Una canción de aritmética

Dos y dos son cuatro,
Cuatro y dos son seis,
Seis y dos son ocho,
Y ocho, diez y seis.

Y ocho, veinte y cuatro,
Y ocho, treinta y dos,
Así es la aritmética,
Un genio soy yo.

VOCABULARIO

treinta	thirty
treinta y dos	thirty-two
así	so, that's the way
el **genio**	genius
soy	I am

3 **La telefonista.** The telephone operator would like you to repeat some numbers in Spanish. You reply:

Señorita, yo deseo el número . . .

456 3278   cuatro-cinco-seis-tres-dos-siete-ocho

879 4621 _____

737 3456 _____

455 6743 _____

620 2987 _____

080 2539 _____

435 8723 _____

4 Now that you know the Spanish words for the numbers 1 to 20 (and also 30), try doing some arithmetic in Spanish. First you have to learn the following expressions:

y	and, plus (+)	**dividido por**	divided by (÷)
menos	minus (−)	**son**	are, equals (=)
por	times (×)	**es**	is, equals (=)

For example, $2 + 2 = 4$ would be read in Spanish as *dos y dos son cuatro.* Other examples:

$5 - 4 = 1$ *cinco menos cuatro es uno*
$3 \times 3 = 9$ *tres por tres son nueve*
$12 \div 2 = 6$ *doce dividido por dos son seis*

Actividades

A. Read these examples aloud. *Two* of them are wrong. Can you find them? When you do, correct their answers as you read.

1. Cinco y cinco son diez.
2. Veinte menos cinco son quince.
3. Nueve por dos son diez y ocho.
4. Seis y tres son nueve.
5. Cuatro dividido por dos son diez y ocho.
6. Diez y siete menos diez y seis es uno.
7. Once por uno son once.
8. Veinte dividido por cinco son cuatro.
9. Diez y ocho dividido por dos son ocho.
10. Diez y seis y tres son diez y nueve.

B. Write the following examples in Spanish, then read them aloud.

1. $2 + 3 = 5$ _____

2. $9 - 2 = 7$ _____

3. $4 \times 4 = 16$ _____

4. $8 \div 2 = 4$ _____

5. $12 + 3 = 15$ _____

6. $10 - 5 = 5$ _____

7. $4 \times 5 = 20$ _____

8. $6 \div 3 = 2$ _____

9. $10 + 9 = 19$ _____

10. $18 - 7 = 11$ _____

C. Circle the letter of the correct answer and then read the entire problem aloud.

1. Cuatro menos dos son

   a. 2   *b.* 4   *c.* 6   *d.* 8

2. Ocho y tres son

   a. 12   *b.* 11   *c.* 10   *d.* 9

3. Seis dividido por tres son

   a. 1   *b.* 3   *c.* 2   *d.* 4

4. Cuatro y cuatro son

   a. 8   *b.* 20   *c.* 0   *d.* 16

5. Ocho y siete son

   a. 15   *b.* 1   *c.* 16   *d.* 3

6. Dos menos uno es

   a. 3   *b.* 1   *c.* 2   *d.* 4

7. Tres por tres son

   a. 6   *b.* 8   *c.* 9   *d.* 2

8. Cuatro dividido por cuatro es

   a. 1   *b.* 8   *c.* 0   *d.* 10

9. Tres y cuatro y cinco son

   a. 17   *b.* 12   *c.* 2   *d.* 4

10. Veinte menos diez y ocho son

    a. 10   *b.* 9   *c.* 2   *d.* 8

D. Complete these sentences in Spanish.

1. Tres y siete son _____

2. Cuatro menos tres es _____

3. Dos por dos son _____

4. Tres dividido por tres es _____

5. Diez y cinco son _____

6. Diez menos cinco son _____

7. Diez dividido por cinco son _____

8. Uno por uno es _____

9. Doce menos once es _____

10. Diez y siete son _____

5 Here's a conversation that uses lots of numbers. Learn the new vocabulary, then "act out" the conversation with two other students.

Scene: Inside a grocery store. Roberto is eleven years old, Rosita is nine.

TENDERO: Buenos días, niños. ¿Qué desean ustedes?

ROBERTO: Deseamos dulces de chocolate.

TENDERO: Muy bien. Son veinte centavos.

ROBERTO: ¿Veinte centavos? ¡Es mucho!

TENDERO: Son dulces buenos.

ROBERTO: ¡Está bien! Veinte centavos, ¿eh? (*contando*) ocho, nueve, diez, once, doce, trece, catorce, quince, diez y seis, diez y siete. ¡Diez y siete centavos! Señor, ¿acepta usted diez y siete centavos?

TENDERO: No, señor. El precio es veinte centavos.

ROSITA: Mira. Yo tengo aquí tres centavos.

ROBERTO: ¡Muy bien! Diez y siete y tres son veinte.

TENDERO: ¡Exacto! Muchas gracias, niños.

ROSITA Y ROBERTO: De nada, señor. Adiós.

VOCABULARIO

aceptar to accept	**¡Mira!** Look!
aquí here	**muchas gracias** thanks a lot
el **centavo** cent, penny	**muy bien** very well
con with	el **precio** price
contando counting	**su** his, her
De nada You're welcome	el **tendero** storekeeper
el **dulce** candy	la **tienda de comestibles** grocery store
¡Está bien! All right, O.K.	**yo tengo** I have

Actividades

E. Complete these sentences, which are based on the conversation you have just read.

1. Roberto es un niño de _____ años.

2. Rosita es una niña de _____ años.

3. Ellos desean comprar _____.

4. El tendero trabaja en la _____.

5. El precio de los dulces es _____ centavos.

6. Roberto y Rosita compran los _____.

F. Complete this conversation by using expressions chosen from the following list:

Está bien. ¿Acepta usted diez y siete centavos?

Muy bien. Aquí están los veinte centavos.

Deseamos dulces de chocolate.

Yo tengo aquí tres centavos.

¿Veinte centavos? ¡Es mucho!

De nada, señor.

70

G. *Información personal.* Your school requires that every student fill out an I.D. card. Supply the following information in Spanish, writing all numbers as words.

1. edad (age) _____ años

2. número de hermanos _____

3. número de hermanas _____

4. número de animales domésticos _____

5. total de miembros de la familia _____

6. número de teléfono _____

7. número de la casa _____

More Action Words; -er Verbs

aprender

beber

comer

comprender

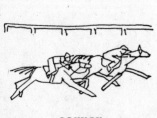

correr

leer

responder

vender

ver

1 Here are nine more important action words. (Another verb in this group is **saber,** *to know.* The **yo** form is **sé**—an exception to the rule.)

You probably noticed that these verbs don't end in **-ar** but in _____.

You'll recall how we made changes in **-ar** verbs by dropping the **-ar** and adding certain endings. Well, we must do the same thing with these **-er** verbs, but the endings will be slightly different. Let's see how this works. A good example is the verb **vender,** *to sell.* If we want to say "I sell," we must remove the **-er** ending of the infinitive and add **-o,** which is the ending for the **yo** form. Now let's add the endings we need for the other subjects. Here's what we get:

yo vend**o**	I sell
tú vend**es**	you sell (*familiar*)
usted vende	you sell (*formal or polite*)
él vende	he sells
ella vende	she sells
nosotros } vend**emos** nosotras	we sell
ustedes vend**en**	you (*plural*) sell
ellos } vend**en** ellas	they sell

Let's do one more—the verb **comprender,** *to understand.* Add the endings that go with the different subjects:

yo comprend_____	nosotros } comprend_____ nosotras
tú comprend_____	
usted comprend_____	ustedes comprend_____
él comprend_____	ellos } comprend_____ ellas
ella comprend_____	

2 Now let's compare an **-ar** verb with an **-er** verb. How are they similar and how are they different?

	trabaj**ar**	com**er**
yo	trabaj**o**	com**o**
tú	trabaj**as**	com**es**
usted	trabaj**a**	com**e**
él	trabaj**a**	com**e**
ella	trabaj**a**	com**e**
nosotros	trabaj**amos**	com**emos**
ustedes	trabaj**an**	com**en**
ellos	trabaj**an**	com**en**

Notice that the **yo** form has the same ending in both **-ar** and **-er** verbs: yo trabaj**o,** yo com**o.** In all other cases, however, the **-ar** verbs have endings that are **a** or begin with **a** while the **-er** verbs have endings that are **e** or that begin with **e.**

Are you ready now for a little story using lots of **-er** verbs? See page 75. However—

3 Before we can read the story, there are two tiny points of grammar that should be covered: the contraction **al** and the personal **a**. In Spanish, the preposition **a** means *to*. For example:

Ellos andan **a** la tienda.   They walk *to* the store.
Ellos corren **a** la escuela.   They run *to* the school.

If the preposition **a** comes directly before the article **el** (*the*), the two words combine to form the word **al**; that is, **a** + **el** = **al**.

Ella vende el libro **al** hombre.   She sells the book *to the* man.
  (**a** + **el** hombre = **al** hombre)

There's another important use of the preposition **a**; it's called the personal **a**. Look at these two sentences:

Yo veo **a** Pedro.   I see Peter.
Yo contesto **a** la profesora.   I answer the teacher.

What is the extra word found in the Spanish sentences that has no equivalent

in the English sentences? _____

Did you notice that when the direct object of a verb is a *person* (Pedro, the teacher), the preposition **a** is placed before it even though the **a** is not translated into English?

Some more examples:

Miro las cases   I look at the houses.
  (Houses are not persons, therefore no **a**.)
Miro **a** los muchachos.   I look at the boys.
Visito la escuela.   I visit the school.
  (A school is not a person, therefore no **a**.)
Visito **a** mi amigo.   I visit my friend.

To see if you know when to use the personal **a** and when to leave it out, complete the following sentences. If the personal **a** is *not* needed, leave the blank empty. (If the form **al** is required, cross out **el**.)

1. Comprendemos _____ la lección.

2. Comprendemos _____ la profesora.

3. Yo no veo _____ el muchacho.

4. Yo no veo _____ el libro.

5. Los alumnos escuchan _____ la música.

6. Los alumnos escuchan _____ el señor Mendoza.

7. María visita _____ la directora.

74

8. María visita _____ la escuela.

9. No comprendo _____ la profesora.

10. No comprendo _____ la pregunta.

4 Now we are ready to read the short story mentioned earlier:

El perro de Pepe

Pepe, un muchacho pobre de diez años, tiene un perro que se llama Lobo. Lobo es un perro inteligente. Pepe vende periódicos en la calle para ganar dinero. Él necesita dinero para comprar la comida para Lobo. Lobo es un perro grande. Él come y bebe mucho. Lobo es muy inteligente y aprende rápidamente. El perro está muy contento cuando ve a Pepe. Lobo desea correr al parque. Cuando Pepe dice "Lobo, Lobo, corre, corre," el perro comprende y siempre responde "¡Guau, guau!"

VOCABULARIO

Pepe (nickname for **José**) Joe	**para** in order to
pobre poor	**rápidamente** fast
(él) **tiene** he has	**contento** happy
ganar to earn	**siempre** always
el **dinero** money	**¡Guau, guau!** Bow-wow! (dog's bark)
la **comida** food	

Actividades

A. Reread the story *El perro de Pepe*, then complete these sentences by writing the correct words in the blanks.

1. Pepe es un muchacho _____.

   a. rico   *b.* tonto   *c.* grande   *d.* pobre

2. Lobo es _____ de Pepe.

   a. el hermano   *b.* el gato   *c.* el perro   *d.* el libro

3. Para ganar dinero, Pepe vende _____.

   a. perros   *b.* periódicos   *c.* animales   *d.* cuadernos

4. Lobo necesita mucha _____.

   a. comida   *b.* música   *c.* fruta   *d.* aspirina

5. El perro está contento cuando _____.

   a. gana dinero   *b.* come   *c.* ve a Pepe   *d.* ve una cosa

B. Match the following sentences with the pictures by writing the correct sentence on the line below each picture.

Nosotras leemos un libro.　　Los alumnos aprenden mucho.
El perro come.　　　　　　La muchacha no comprende.
El muchacho vende periódicos.　El perro sabe bailar.
Yo respondo en la clase.　　Vemos el avión.
El abuelo bebe el café.　　　Ellos corren al cine.

1. _____

2. _____

3. _____

4. _____

5. _____.

6. _____

7. _____   8. _____

9. _____   10. _____

C. Here are some -ar and -er action words. Tell who is "doing the action" by writing every pronoun that can be used with the verb. Then write what each verb means.

EXAMPLE:

___usted, él, ella___ habla   *you speak, he speaks, she speaks*

1. _____ vendo   _____

2. _____ bebes   _____

3. _____ bailan   _____

4. _____ contestamos _____

5. _____ sabe   _____

6. _____ trabajamos _____

7. _____ comen   _____

8. _____ estudio   _____

9. _____ leemos   _____

10. _____ escucha   _____

11. _____ respondes _____

12. _____ cantan _____

13. _____ corro _____

14. _____ aprende _____

15. _____ ve _____

D. Write the form of the verb that is used with each subject. Remember to remove the *-ar* or *-er* of the infinitive before adding the correct ending.

EXAMPLE: *hablar*: yo ___*hablo*___

1. *visitar:* yo _____

2. *ver:* él _____

3. *comer:* ella _____

4. *practicar:* tú _____

5. *leer:* usted _____

6. *vender:* ustedes _____

7. *responder:* nosotros _____

8. *usar:* ellos _____

9. *saber:* el profesor _____

10. *comprender:* las profesoras _____

E. Write a complete Spanish sentence by using the Spanish word for the English verb in parentheses.

1. Nosotros (learn) rápidamente. _____

2. Pepe (sells) periódicos. _____

3. El perro (runs) en la calle. _____

4. Ellos (eat) mucho pan. _____

5. Mi hermana siempre (answers). _____

6. Yo (drink) mucha leche. _____

7. Mi mamá (looks at) la televisión. _____

8. Ella (knows) todo. _____

9. Los turistas (buy) muchas cosas. _____

10. Los alumnos (study) en la escuela. _____

11. El muchacho estúpido no (understands). _____

12. Usted (read) la lengua española. _____

13. Yo (visit) a mi padre. _____

14. Ella (sees) la casa. _____

15. Tú (work) día y noche. _____

CONVERSACIÓN

F. *Información personal.* Your school counselor wants to find out a few things about your personality. Finish each sentence in a way that tells us something about you.

EXAMPLE: Yo leo ___*muchos libros*___.

1. Yo aprendo _____.

2. Yo como _____.

3. Corro _____.

4. Respondo _____.

5. Trabajo _____.

6. Escucho _____.

G. Complete this conversation by using expressions chosen from the following list:

Oh sí. Él aprende rápidamente.   ¿Deseas comer ahora?
¿Deseas comprar mi gato?   ¿Ves una cosa?
¡Un millón de dólares!   Tigre está en casa ahora.

82

8 How to Describe Things in Spanish: Colors and Other Adjectives

1 Here are the Spanish names for some common colors:

amarillo, yellow	**pardo, castaño,** brown
anaranjado, orange	**rojo,** red
blanco, white	**azul,** blue
negro, black	**verde,** green

Colors are adjectives. They describe things. For example:

el **plato blanco**   el **sombrero rojo**   el **cuaderno azul**

Where are adjectives placed in Spanish? *After* the noun! In Spanish we say "the hat red," *not* "the red hat."

Did you notice the *endings* on the first six adjectives in the list above (amarill**o**, anaranjad**o**, blanc**o**, etc.)? They end in what letter? _____ Right. Those **-o** endings will change to **-a** when describing a thing that is "named" by a feminine noun. For example:

el café negr**o**	but	**la** blus**a** negr**a**
el automóvil roj**o**	but	**la** rosa roj**a**
el papel blanc**o**	but	**la** casa blanc**a**
el libr**o** amarill**o**	but	**la** banan**a** amarill**a**
el lápiz anaranjad**o**	but	**la** blusa anaranjad**a**

What happens to the last two colors in the list: **verde** and **azul?**

el libro **verde**	**la** fruta **verde**
el cielo **azul**	**la** camisa **azul**

As you can see, they remain the same whether the persons or things they describe are masculine or feminine.

Un poema

La rosa es roja,
La violeta azul,
El azúcar es dulce
Y también tú.

The artist forgot to color the pictures on the next page, but at least he labeled them correctly!

la rosa roja

la banana amarilla

la leche blanca

el taxi anaranjado

la hoja verde

el gato negro

el cielo azul

la bandera roja, blanca
y azul

Actividad

A. *¿De qué color es?* (What color is it?) Complete each sentence with the correct Spanish word:

1. La banana es _____.

2. El tomate es _____.

3. El dólar es _____.

4. La leche es _____.

5. La bandera americana es _____, _____ y

   _____.

6. El café sin (without) leche es _____.

7. La hierba (grass) es _____.

8. La naranja (orange) es _____.

9. En un día claro, el cielo es _____.

10. El libro de español es _____ y _____.

2 Colors are not the only adjectives that describe things. Here are a few more:

bonito   feo

grande   pequeño   inteligente

estúpido

rico

pobre

viejo

joven

gordo

flaco

fácil

difícil

3 All right, we now know two things about adjectives: (1) they *follow* the noun and (2) if their masculine form ends in **-o**, then their feminine form ends in **-a.**

Some examples:

la muchacha bonita

el perro feo

la casa grande

el tomate rojo

la mosca (fly) pequeña

la violeta azul

4 One more rule: To make an adjective *plural*, do the same thing that you would do with a noun. Like this:

Singular	*Plural*
la fruta verde	las frutas verde**s**
la bicicleta azul	las bicicletas azul**es**
el muchacho pobre	los muchachos pobre**s**

If the adjective ends in a vowel (a, e, i, o, u), add _____. If the adjective ends in a consonant, add _____.

Actividad

B. Match the following expressions with the pictures by writing the correct expression on the line below each picture.

el abuelo viejo	el trabajo difícil
el cuaderno negro	el animal grande
la mesa pequeña	el muchacho pobre
el alumno estúpido	la señora rica
los hombres gordos	los gatos flacos

1. _____

2. _____

3. _____

4. _____

5. _____

6. _____

7. _____

8. _____

9. _____

10. _____

5 Here's a story containing lots of adjectives:

Nueva York

Nueva York es una ciudad grande. En la ciudad hay muchas cosas interesantes: hay hoteles modernos, teatros importantes, restaurantes excelentes y parques bonitos. Un parque famoso es el Jardín Botánico. En el Jardín hay flores de todas partes del mundo. En la primavera el Jardín es un festival de colores. Hay flores rojas y amarillas, plantas verdes y blancas y, en el centro, un lago azul. El parque es un centro de paz en una ciudad con muchas personas, mucho tráfico y un número grande de problemas.

VOCABULARIO

la **ciudad** city
la **cosa** thing
el **jardín** garden
todo, toda all
el **mundo** world
la **primavera** spring(time)

el **centro** center
el **lago** lake
la **paz** peace
de todas partes del mundo from all over the world

Actividades

C. The following sentences are based on the story you have just read. Complete each sentence with the correct word, to be chosen from the list on the right.

1. Nueva York es _____.   azul

2. Los hoteles de la ciudad son _____.   el parque

3. Hay muchas flores en _____.   tráfico

4. El lago es _____.   grande

5. En la ciudad hay mucho _____.   modernos

D. To the left of each noun in column *A*, write the letter of the adjective in column *B* that can be used with it. (Watch those adjective endings!) Use each adjective only *once*.

A	B
_____ 1. los gatos	*a.* feo
_____ 2. la planta	*b.* blanca
_____ 3. el café	*c.* flacos
_____ 4. el monstruo	*d.* populares
_____ 5. los periódicos	*e.* pequeño
_____ 6. la calle	*f.* modernos
_____ 7. el restaurante	*g.* negro
_____ 8. los hoteles	*h.* difícil
_____ 9. la lección	*i.* tropical
_____ 10. la leche	*j.* famosa

E. Here are some nouns followed by adjectives. Write the correct ending for each adjective.

EXAMPLE: la muchacha bonit_a_

1. la bicicleta verd_____

2. el perro blanc_____

3. los libros negr_____

4. el abuelo viej_____

5. el tren rápid_____

6. la muchacha romántic_____

7. las secretarias important_____

8. los parques grand_____

9. el presidente american_____

10. las frutas delicios_____

F. Underline the form of the adjective that completes the sentence correctly.

1. La avenida es (grande, grandes).

2. Mi hermana María es (bonito, bonitos, bonita, bonitas).

3. Los hombres son (rico, rica, ricos, ricas).

4. Las lecciones son (difícil, difíciles).

5. Los árboles son (verde, verdes).

6. El gato es un animal (pequeño, pequeña, pequeños, pequeñas).

7. El señor López es un profesor (inteligente, inteligentes).

8. Yo bebo el café (italiano, italiana, italianos, italianas).

9. Escribo con una pluma (rojo, roja, rojos, rojas).

10. Estudio en una escuela (importante, importantes).

G. Complete each sentence with the correct form of the Spanish adjective.

1. La profesora _____ trabaja mucho.
   (American)

2. La muchacha _____ baila.
   (pretty)

3. Yo uso una pluma _____.
   (red)

4. Mis padres son _____.
   (intelligent)

5. Tú contestas las preguntas _____.
   (difficult)

6. El español es una lengua _____.
   (important)

7. Los automóviles _____ pasan.
(fast)

8. Ellos son dos médicos _____.
(important)

9. Comemos en un restaurante _____.
(modern)

10. María es una niña _____.
(small)

H. Answer each question with a complete Spanish sentence.

1. ¿Es difícil la lección de español?

_____

2. ¿Es importante el diccionario?

_____

3. ¿Es grande la ciudad de Nueva York?

_____

4. ¿Desea usted un automóvil pequeño?

_____

5. ¿Es inteligente la profesora de español?

_____

6. ¿Es delicioso el café?

_____

7. ¿Es deliciosa la leche?

_____

8. ¿De qué color son las hojas de un árbol?

_____

9. ¿Estudia usted en una escuela moderna?

_____

10. ¿Son buenos los perros?

_____

CONVERSACIÓN

el joven

Perdone usted, señor policía.
¿Sabe usted dónde está el cine?

Hay muchos cines aquí. ¿No
sabe usted en qué calle está?

Creo que está en la calle Juárez.

Ah, sí. Es el Teatro Acapulco,
cerca del parque.

¿Está lejos de aquí?

No. Cinco minutos de aquí,
en esa dirección.

Muchísimas gracias, señor policía.

De nada, joven. Para
servirle.

el policía

VOCABULARIO

el **joven** young man
perdone usted excuse me
cerca de near
lejos de far from

muchísimas gracias thank you very much
de nada you're welcome
para servirle at your service

92

I. Complete this conversation by using expressions chosen from the following list:

Ah, es el cine cerca del parque.
De nada, joven.
Es un restaurante excelente.

Es una ciudad con mucho tráfico.
No. Cinco minutos de aquí, en esa
  dirección.
¿Sabe usted en qué calle está?

J. *Información personal.* You want to join an exclusive club, and are asked to give a brief description of yourself. Using some of the adjectives you have learned, write five sentences about yourself.

1. _____

2. _____

3. _____

4. _____

5. _____

Repaso y Recreo Segundo: *Lessons 5-8*

1 *Vocabulary*

NOUNS

el **centavo**	el **dulce**	la **paz**
la **comida**	la **estrella**	el **precio**
la **cosa**	el **jardín**	el **supermercado**
la **ciudad**	el **lago**	el **tendero**
el **dinero**	el **número**	la **tienda de comestibles**

PREPOSITIONS

cerca de   lejos de

VERBS

aprender	comprender	responder	ver
beber	correr	vender	saber
comer	leer		

ADJECTIVES

amarillo	estúpido	grande	pobre
anaranjado	fácil	inteligente	rico
azul	feo	joven	rojo
blanco	flaco	negro	verde
bonito	gordo	pequeño	viejo
difícil			

NUMBERS 1 TO 30

uno	siete	trece	diez y nueve
dos	ocho	catorce	veinte
tres	nueve	quince	viente y uno
cuatro	diez	diez y seis	viente y dos, etc.
cinco	once	diez y siete	treinta
seis	doce	diez y ocho	

2 *Grammar*

1. Negative and interrogative sentences in Spanish.

   a. Negative: The word **no** goes directly before the verb.

   > Pablo **no** come.
   > Nosotros **no** comprendemos.

94

b. Interrogative: The subject follows the verb. An inverted question mark is placed at the beginning of the question.

¿Habla usted español?
¿Miran ustedes la televisión?

2. Conjugation of regular **-er** verbs.

yo aprend **o**	nosotros(-as) aprend **emos**
tú aprend **es**	ustedes aprend **en**
usted aprend **e**	ellos aprend **en**
él aprend **e**	ellas aprend **en**
ella aprend **e**	

3. Personal **a**.
The preposition **a** is placed before the direct object if the direct object is a person.

Yo veo **a** Juan.
Pedro visita **a** la muchacha.

4. Contraction: **a** + **el** = **al**.

Escucho **al** hombre.

5. Agreement of adjectives.

Adjectives follow the noun and agree with the noun in number and gender. If the noun is in the singular, the adjective is in the singular. If the noun is in the plural, the adjective is in the plural. Similarly: If the noun is masculine, the adjective is masculine; if the noun is feminine, the adjective is feminine.

la casa blanca	**el** libro rojo
las casas blancas	**los** libros rojos

Actividades

A. *Verb game.* Here are ten pictures of people doing things. Complete the description below each picture by using the correct form of one of these verbs:

aprender	comer	correr	responder	vender
beber	comprender	leer	saber	ver

1. María _____ agua.   2. Yo _____ un sandwich.

3. Nosotros _____ un periódico.   4. El hombre _____ el sombrero.

5. El muchacho no _____ .   6. Ella _____ el avión.

7. Nosotros _____ en el parque.   8. La señorita _____ bien.

9. Ricardo _____ las mate-   10. El policía _____ la dirección.
    máticas.

96

A	M	U	N	D	O	D	R	O	G
Z	M	L	A	G	O	N	U	B	T
U	D	A	F	D	R	I	C	O	R
L	E	E	R	V	E	R	C	N	E
F	G	R	E	I	H	A	D	I	I
Á	G	B	B	J	L	M	O	T	N
C	N	O	A	F	P	L	S	O	T
I	P	P	S	R	S	C	O	S	A
L	A	P	R	E	N	D	E	R	X
F	Z	V	E	R	D	E	F	A	L

Hidden in this puzzle are:

9 adjectives (3 are colors)		4 verbs	4 nouns	2 numbers
_____	_____	_____	_____	_____
_____	_____	_____	_____	_____
_____	_____	_____	_____	
_____	_____	_____	_____	
	_____			

C. Crucigrama

Horizontal

1. supermarket
5. to drink
7. five
8. city
10. young

Vertical

1. to know
2. meal, food
3. candy, sweet
4. rich
6. one
8. four
9. two

98

D. *Acróstico.* This puzzle contains seven useful expressions. Do you know them?

1 ☐☐☐☐☐ S   ☐☐☐☐

2 ☐ E   ☐☐☐☐

  S E Ñ O R

3 ¿☐☐☐ O   ☐☐   ☐☐☐☐☐ ?

4 ☐ R ☐☐☐☐

5 ☐☐ I ☐☐

6 ¿☐☐☐☐   ☐☐ T ☐ ?

7 ☐☐☐☐ A   ☐☐☐☐☐☐

1. Good morning.   5. Good-bye.
2. You're welcome.   6. How are you?
3. What's your name?   7. See you tomorrow.
4. Thanks.

E. *La fortuna*

Would you like to tell your fortune? Follow these simple rules to see what the cards have in store for you. Count the letters of your last name. If there are six or more, take away four. If there are fewer than six, add three. This is *your* number. Starting in the upper left-hand corner, and moving from left to right, write down all the letters that appear under that number. Then read your *fortuna* in Spanish!

tres F	cuatro B	ocho M	siete B	cinco F	seis A	siete U	seis M
cuatro U	seis O	ocho U	dos D	seis R	ocho C	tres E	cinco A
dos O	siete E	ocho H	dos O	siete N	tres L	cuatro E	siete O
cuatro N	siete S	cinco M	cuatro A	siete A	ocho O	cinco I	seis E
cinco L	tres I	cinco I	dos A	cinco A	cinco G	tres C	cuatro S
dos R	ocho D	seis T	tres I	cuatro A	siete M	seis E	cuatro L
siete I	ocho I	cuatro U	dos E	siete G	seis R	ocho N	tres D
ocho E	cinco R	siete O	cinco A	ocho R	cuatro D	tres A	dos S
cinco N	seis N	siete S	tres D	seis O	cinco D	ocho O	cinco E

PICTURE STORY

Read this story aloud. When you come to a picture, read the Spanish word for it.

Las ciudades de los Estados Unidos

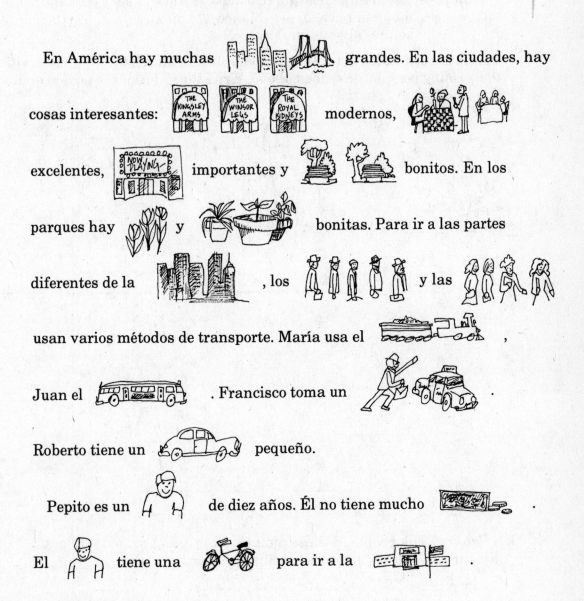

En América hay muchas [ciudades] grandes. En las ciudades, hay cosas interesantes: [hoteles] modernos, [teatros] excelentes, [museos] importantes y [parques] bonitos. En los parques hay [flores] y [plantas] bonitas. Para ir a las partes diferentes de la [ciudad], los [hombres] y las [mujeres] usan varios métodos de transporte. María usa el [tren], Juan el [autobús]. Francisco toma un [taxi].

Roberto tiene un [coche] pequeño.

Pepito es un [niño] de diez años. Él no tiene mucho [dinero].

El [muchacho] tiene una [bicicleta] para ir a la [escuela].

F. *Are you a good detective?* The police are looking for five missing persons. They are described in Spanish as follows:

Manolo: 20 años, feo, gordo, pelo negro, expresión estúpida
Isabel: 19 años, bonita, flaca, pelo rubio, alta, cara inteligente, triste
Rubén: 50 años, viejo, pobre, moreno, siempre alegre
Juanucho: 25 años, pelo largo, rico, bien vestido, cabeza pequeña, serio
Celestina: mujer muy vieja, pelo blanco, sin dientes (toothless), siempre sonríe (always smiling)

You have been called in to identify some photos. Match these pictures with the missing persons described above. Write the name of the person on the line below each "photo."

1. _____   2. _____   3. _____

4. _____   5. _____

G. *¿Cuánto?* The people in these pictures are saying some numbers. What are they? (Write the numbers as Spanish *words*.)

1.   2.

102

3.

4.

5.

6.

9 | To Be or Not to Be: The Verb *Ser*; Trades and Professions

Before we begin this lesson, let's learn two useful abbreviations: **usted = Ud.; ustedes = Uds.**

1 Here are some common trades or professions:

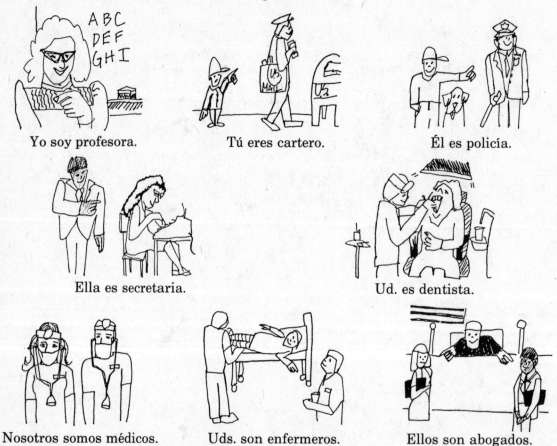

Yo soy profesora.

Tú eres cartero.

Él es policía.

Ella es secretaria.

Ud. es dentista.

Nosotros somos médicos.

Uds. son enfermeros.

Ellos son abogados.

2 One of the most important words in the Spanish language is the verb **ser**, *to be*. It is irregular; that is, it doesn't follow the rules for **-er** verbs that we learned in Lesson 7. All the forms of **ser** must be memorized:

yo **soy**	I am
tú **eres**	you are (familiar)
Ud. **es**	you are (formal)
él **es**	he is
ella **es**	she is
nosotros } **somos**	we are
nosotras }	
Uds. **son**	you are (plural)
ellos } **son**	they are
ellas }	

Actividad

A. Here are some sentences in which a form of the verb **ser** is used. Can you match these sentences with the pictures they describe? Write the correct sentence below each picture.

Lobo es mi perro.
Los edificios son grandes.
Yo soy pobre.
Ellos son inteligentes.
Carlos es policía.

Mis abuelos son viejos.
Ud. es bonita.
Nosotras somos amigas.
La casa es fea.
Ella es artista.

1. _____

2. _____

3. _____

4. _____

5. _____

6. _____

7. _____ 8. _____

9. _____ 10. _____

3 Complete each sentence with the correct form of the verb *ser*.

1. Manuel _____ mexicano.

2. Yo _____ cartero.

3. Ella no _____ secretaria.

4. ¿_____ Ud. abogado?

5. María _____ dentista.

6. Mis padres _____ médicos.

7. ¿_____ ellos gordos?

8. ¿_____ Uds. los hermanos de José?

9. Nosotros _____ inteligentes.

10. El policía _____ joven.

4 Here's a short conversation between Juan, a new boy in school, and Mr. López, the teacher of the class:

EL SEÑOR LÓPEZ: Buenos días, joven. ¿Cómo se llama Ud.? ¿Es Ud. un alumno nuevo?

JUAN: Sí, señor. Soy Juan Rivera.

EL SEÑOR LÓPEZ: Bueno, Juan, ¿comprende Ud. inglés?

JUAN: No mucho. Yo soy de México. Hablamos español en casa.

EL SEÑOR LÓPEZ: Oh, es interesante. ¿Dónde trabaja su padre?

JUAN: Mi padre es mecánico. Trabaja en un garaje. Mi madre trabaja en un hospital.

EL SEÑOR LÓPEZ: Está bien, Juan. Si estudia todos los días, Ud. va a aprender mucho en la clase. Las lecciones no son difíciles. Si hay problemas, Ud. sabe que yo hablo español.

JUAN: Gracias, señor profesor. Ud. es un hombre bueno.

EL SEÑOR LÓPEZ: De nada, Juan. Hasta mañana.

JUAN: Hasta mañana, señor profesor.

VOCABULARIO

Bueno all right, O.K.	**Está bien** all right, O.K.
en casa at home	**todos los días** every day
el **garaje** garage	**si** if

Actividades

B. *¿Cierto o falso?* These statements are based on the dialogue you've just read. If the statement is true, write *cierto*. If it is false, write it correctly.

1. Juan Rivera es el profesor de la clase. _____

2. El señor López habla español. _____

3. Juan Rivera no habla inglés. _____

4. El padre de Juan trabaja en un hospital. _____

5. Juan y el profesor son cubanos. _____

6. La madre de Juan no trabaja. _____

7. Las lecciones de la clase son fáciles. _____

8. El señor López es un hombre malo. _____

9. Juan habla inglés en casa. _____

10. Juan va a la escuela mañana. _____

C. *Preguntas*

    1. ¿Quién es Juan Rivera? _____

    2. ¿Qué lengua habla Juan? _____

    3. ¿Habla español el señor López? _____

    4. ¿Dónde trabaja la madre de Juan? _____

    5. ¿De qué nacionalidad es Juan? _____

D. Number these five sentences in the order in which they occur in the conversation between Juan and Mr. López.

    _____ 1. Juan y el profesor hablan en español.

    _____ 2. "Adiós, Juan. Hasta mañana."

    _____ 3. Juan entra en la escuela.

    _____ 4. El profesor: "Buenos días, Juan."

    _____ 5. Juan: "Mi padre es mecánico."

E. Match each job in this list with the related picture. Two of these jobs are connected with the same picture.

el abogado	el bombero	el dentista	el médico	el profesor
el actor	el cartero	la enfermera	el policía	la secretaria

1. _____ 2. _____ 3. _____

4. _____ 5. _____ 6. _____

7. _____   8. _____   9. _____

F. Complete this conversation by using expressions chosen from the following list:

Soy Juan Rivera.   Sí, ella trabaja en un hospital.
Yo no trabajo.   No mucho. Hablamos español en casa.
Gracias, señora.   Él trabaja en un garaje.
¿Son difíciles las lecciones?

109

G. *Información personal.* List the Spanish names for five trades, occupations, or professions that interest you most. Next to each, write a sentence in Spanish that says something about the occupation or the person who does that kind of work.

EXAMPLE: *un médico*—Su trabajo es muy importante.

1. _____

2. _____

3. _____

4. _____

5. _____

10 | More Action Words: *-ir* Verbs

1 There is one more group of action words: verbs that end in **-ir**. Here are some examples:

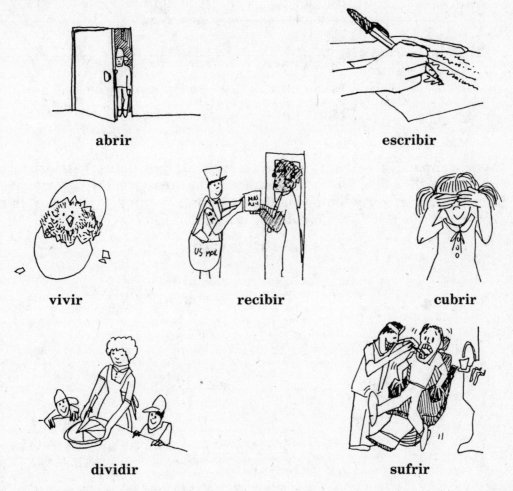

abrir

escribir

vivir

recibir

cubrir

dividir

sufrir

2 Do you recall what you did with **-ar** and **-er** verbs to be able to use them? Let's review. First remove the **-ar** or **-er** ending from the infinitive and then add the proper endings:

habl ~~ar~~ —to speak   vend ~~er~~ —to sell

    yo habl **o**   yo vend **o**
    tú habl **as**   tú vend **es**
   Ud. habl **a**   Ud. vend **e**
    él habl **a**   él vend **e**
  ella habl **a**   ella vend **e**

nosotros nosotras }	habl **amos**	nosotros nosotras }	vend **emos**
Uds.	habl **an**	Uds.	vend **en**
ellos ellas }	habl **an**	ellos ellas }	vend **en**

The same thing is done with **-ir** verbs. Here's an example:

escribir to write

yo escrib **o**	I write
tú escrib **es**	you (familiar) write
Ud. escrib **e**	you (formal) write
él escrib **e**	he writes
ella escrib **e**	she writes
nosotros nosotras } escrib **imos**	we write
Uds. escrib **en**	you (plural) write
ellos ellas } escrib **en**	they write

3 If you compare the **-er** and **-ir** verbs, what do you notice? Almost all the endings are the same! The only exception is the **nosotros** ("we") form. In this form, the **-er** ending is **-emos** but the **-ir** ending is **-imos**. That makes things simple. Let's do another one. Add the proper endings:

abrir to open

yo abr_____	nosotros nosotras } abr_____
tú abr_____	Uds. abr_____
Ud. abr_____	ellos ellas } abr_____
él abr_____	
ella abr_____	

Actividad

A. Here are some **-ir** verbs. Match the Spanish expressions in column *A* with their English equivalents in column *B*.

A	*B*
_____ 1. yo abro	*a.* I write
_____ 2. ellos reciben	*b.* you live (plural)
_____ 3. Uds. viven	*c.* they open

_____	4. tú escribes	d. she receives
_____	5. nosotros escribimos	e. we divide
		f. you cover
_____	6. él vive	g. you write
_____	7. ellos cubren	h. you live (singular)
_____	8. ellos viven	i. they receive
		j. I open
_____	9. ella recibe	k. we write
_____	10. él divide	l. he lives
_____	11. Ud. cubre	m. he divides
		n. they live
_____	12. tú vives	o. they cover
_____	13. nosotras dividimos	
_____	14. yo escribo	
_____	15. ellos abren	

4 Here's one more important **-ir** verb: **salir,** *to leave, to go out*. We present it separately because (*a*) it has an irregular *yo* form—**salgo**—and (*b*) it is followed by **de** if you mention the place you're "going out of":

Yo **salgo** ahora. I'm leaving (going out) now.
  But:
Yo **salgo de** la casa ahora. I'm leaving the house now.

For practice, complete the Spanish sentences:

1. Ellos _____ mañana. They're leaving tomorrow.

2. Yo _____ _____ la clase. I'm leaving the class.

3. Ella _____ en la tarde. She goes out in the afternoon.

4. ¿Cuándo _____ tú _____ la casa? When are you leaving the house?

5. ¿_____ ustedes ahora? Are you going out now?

6. Nosotros _____ hoy. We are leaving today.

7. No deseo _____ _____ la casa. I don't want to leave the house.

5 Now we are ready to compare all three kinds of verbs: **-ar, -er,** and **-ir:**

	pasar to pass	**beber** to drink	**vivir** to live
yo	pas **o**	beb **o**	viv **o**
tú	pas **as**	beb **es**	viv **es**
Ud.	pas **a**	beb **e**	viv **e**
él	pas **a**	beb **e**	viv **e**
ella	pas **a**	beb **e**	viv **e**
nosotros nosotras }	pas **amos**	beb **emos**	viv ***imos***
Uds.	pas **an**	beb **en**	viv **en**
ellos ellas }	pas **an**	beb **en**	viv **en**

Actividades

B. Three titles are listed below each picture. Underline the correct title.

1.

a. yo escribo

b. yo entro

c. yo pregunto

2.

a. ella abre

b. ella baila

c. ella vende

3.

a. nosotros recibimos

b. nosotros cantamos

c. nosotros respondemos

4.

a. ellos compran

b. ellos corren

c. ellos usan

114

5.
   a. él sale

   b. él divide

   c. él canta

6.
   a. Carlos y María cubren

   b. Carlos y María viven

   c. Carlos y María entran

7.
   a. Ud. come

   b. Ud. bebe

   c. Ud. estudia

8.
   a. yo visito

   b. yo paso

   c. yo trabajo

9.
   a. Rosita escucha

   b. Rosita abre

   c. Rosita divide

10.
   a. Francisco lee

   b. Francisco aprende

   c. Francisco mira

C. Complete each sentence with the correct form of the verb.

1. Yo _____ de la ciudad mañana.
   salir

2. Uds. _____ mucho.
   saber

3. Los muchachos _____ americanos.
   ser

4. Yo _____ a mi amigo.
   visitar

5. Ella _____ en la clase.
   responder

6. Ellos _____ mucho dinero.
   recibir

7. Tú _____ una soda.
   beber

8. Pablo _____ la ventana.
   abrir

9. María y yo _____ en Nueva York.
   vivir

10. Yo _____ correr en el parque.
    desear

6 Here's a conversation containing -ar, -er, and -ir verbs. The people are talking about Paco's father. All of Paco's friends are trying to find out what his father does for a living. Would you know?

MARÍA: La familia de Paco vive bien. Probablemente ganan mucho dinero.

ROBERTO: Sí, ellos viven en una casa magnífica.

CARLOS: Y tienen un automóvil nuevo.

ANA: Hay dos hermanas en la familia: Carmen y Rosa. Una es enfermera, la otra es secretaria. Ellas siempre compran ropa bonita.

ANTONIO: Ellos comen y beben bien. Cuando yo visito a la familia, siempre hay mucha comida en la mesa.

MARÍA: ¿Qué hace el padre de Paco?

(Entra Paco.)

ROBERTO: Paco, ¿dónde trabajan tus padres?

PACO: Mis padres trabajan en el supermercado. Ahora ¿comprenden Uds. por qué hay mucha comida en mi casa?

TODOS: ¡Ay, qué bueno! Vemos perfectamente.

116

VOCABULARIO

el **abogado** lawyer
la **comida** food, meal
la **mesa** table
perfectamente perfectly
probablemente probably

¿**Qué hace el padre**? What does the father do?
la **ropa** clothing
tienen they have
tus your

Actividades

D. Pick out the -*ar,* -*er,* and -*ir* verbs in the conversation and list them below in the infinitive form:

-*ar* verbs	-*er* verbs	-*ir* verbs
_____	_____	_____
_____	_____	
_____	_____	
_____	_____	
	_____	
	_____	

E. Complete the sentences by choosing the correct words and writing them in the blanks.

1. María y Ana son _____ de Paco.

   a. amigos   *b.* hermanas   *c.* tías   *d.* amigas

2. La familia de Paco _____ una casa grande.

   a. compra   *b.* desea   *c.* vive en   *d.* vende

3. El automóvil de la familia es _____.

   a. grande   *b.* magnífico   *c.* viejo   *d.* nuevo

4. Hay _____ hermanas en la familia.

   a. dos   *b.* tres   *c.* cuatro   *d.* cinco

5. La enfermera trabaja probablemente en _____.

   a. el supermercado   *b.* la casa   *c.* el hospital   *d.* el cine

6. Carmen y Rosa son _____.

   a. hermanas   *b.* tías   *c.* abuelas   *d.* enfermeras

7. Una secretaria trabaja en _____.

   a. una tienda   *b.* una oficina   *c.* un teatro   *d.* un restaurante

117

8. La familia de Paco _____ bien.

    a. estudia   *b.* aprende   *c.* escucha   *d.* come

9. Un _____ es una persona que trabaja con los enfermos.

    a. cartero   *b.* abogado   *c.* bombero   *d.* médico

10. En un supermercado no hay _____.

    a. soda   *b.* radios   *c.* frutas   *d.* leche

F. Here's a story with many missing words. Can you fill all the blanks so that the story makes sense? Have fun!

La familia de Paco _____ bien. Ellos _____ mucho dinero. _____ en una casa _____ y _____ un automóvil _____. Hay dos _____: Carmen y Rosa. Una es _____ y la otra es _____. Ellas siempre _____ ropa _____. Ellos _____ y _____ bien. Siempre hay mucha _____ en la _____. Los padres _____ en el _____.

G. *Información personal.* Describe yourself and your family by completing these sentences.

1. Me llamo _____.

2. Soy _____.

3. Vivo _____.

4. Yo tengo (No tengo) un automóvil _____.

5. Hay _____ hermanos (hermanas) en mi familia.

6. Se llaman _____, _____, (etc.).

7. Compran ropa _____.

8. Mi padre es _____.

9. Mi padre gana (no gana) mucho dinero. Trabaja _____ días por semana.

10. Somos una familia _____.

11 The Verb *Estar*, "to be"; More Adjectives

Yo estoy aquí.

Tú estás allí.

Él está enfermo.

Ella está bien.

Ud. está triste.

Nosotros estamos contentos
(alegres).

Uds. están cansados.

Ellos están sentados.

El café está caliente.

La leche está fría.

1 "To be or not to be?" We have already learned one verb that means *to be*: the verb **ser.** Here's another one: **estar.** Let's see how it is conjugated:

yo	**estoy**	I am
tú	**estás**	you are (familiar)
Ud.	**está**	you are (formal)
él	**está**	he is
ella	**está**	she is
nosotros nosotras}	**estamos**	we are
Uds.	**están**	you are (plural)
ellos ellas}	**están**	they are

2 The question now is: When do we use **ser** and when do we use **estar** (or a form of **ser** or **estar**)? For example, if we want to say "I am," do we say "yo soy" or "yo estoy"? If we wish to say "she is," do we say "ella es" or "ella está"?

We can't just use whichever verb we feel like using. There are certain rules. The following examples show three special uses of the verb **estar:**

a. ¿Como **está** Ud.? How are you?
   Yo **estoy** bien, gracias. I'm well, thank you.
   No **estoy** bien; **estoy** enfermo. I'm not well; I'm sick.

Do you know why we use forms of the verb **estar** in these three sentences? The

reason is that they ask or talk about a person's _____.

b. ¿Dónde **está** la casa? Where is the house?
   Madrid **está** en España. Madrid is in Spain.

In these sentences, we are telling something's or someone's _____,

or _____ it is.

c. María **está** contenta. Mary is happy.
   Estamos cansados. We are tired.
   La sopa **está** fría. The soup is cold.

120

In these sentences, you will notice that the condition of the persons or things can quickly change:

María está contenta. (It's only how she feels right now.)
Estamos cansados. (With a little rest, that will change.)
La sopa está fría. (It can be heated up again in a few seconds.)

Therefore, the condition of these things or persons is not permanent but

_____.

3 Here, then, are the simple rules:

There are three cases in which we must use **estar** or a form of **estar**.

a. HEALTH. If we ask about or tell about someone's health, we must use **estar.**

b. LOCATION. If we ask about or tell about *where* something or someone is, we must use **estar.**

c. If the adjective describes *a temporary condition that can change back and forth*—sick and well, hot and cold, sad and happy, etc.—we must use **estar:**

Juan **está** enfermo (bien).   John is sick (well).
El café **está** caliente (frío).   The coffee is warm (cold).
María **está** triste (contenta).   Mary is sad (happy).

4 So now you know the three times you *must* use **estar.** At all other times, use the verb **ser.**

NOTE: Sometimes it is not easy to decide whether a condition is "temporary" or "permanent." In Spanish, some conditions are not regarded as "temporary" but as permanent characteristics. This is the case with adjectives like **rico, pobre, gordo, flaco, joven,** and **viejo.** Therefore, we say in Spanish:

Yo **soy** rico.   (A form of **ser,** not **estar.**)
Mi amigo **es** pobre.
La abuela **es** vieja.
Los muchachos **son** gordos.

Actividad

A. The following sentences are missing a form of the verb *estar.* Write the correct form in the blank and tell why you use it instead of a form of *ser.*

1. Ellos _____ aquí en Madrid.

2. María _____ enferma.

3. Nosotros _____ contentos ahora.

4. ¿Cómo _____ Ud.?

5. ¿Cómo _____ Uds.?

6. ¿Dónde _____ mi padre?

7. La soda _____ fría.

8. Los muchachos _____ sentados en la mesa.

9. ¡Qué trabajo! Yo _____ cansado.

10. Mi hermana no _____ bien hoy.

5 In case you've forgotten, here are the forms of the two verbs that mean *to be*. Repeat them aloud after your teacher.

SER				ESTAR	
yo	**soy**	I am		yo	**estoy**
tú	**eres**	you are		tú	**estás**
Ud.	**es**			Ud.	**está**
él	**es**	he is		él	**está**
ella	**es**	she is		ella	**está**
nosotros nosotras	**somos**	we are		nosotros nosotras	**estamos**
Uds.	**son**	you are		Uds.	**están**
ellos ellas	**son**	they are		ellos ellas	**están**

Actividad

B. Here are some more examples. This time, you have to decide whether *ser* or *estar* should be used. Underline the correct form.

1. Roberto (es, está) alegre hoy.

2. Mi abuelo (es, está) carpintero.

3. Yo (soy, estoy) mexicano.

4. Ella (es, está) secretaria.

5. El agua (es, está) caliente.

6. ¿Cómo (es, está) Ud.?

7. ¿(Son, Están) ellas abogadas?

8. ¿Dónde (son, están) mis padres?

9. ¿(Es, Está) María gorda?

10. Uds. (son, están) inteligentes.

11. El abuelo (es, está) viejo.

12. Nosotros (somos, estamos) bien, gracias.

13. Mi profesor (es, está) joven.

14. Las casas (son, están) grandes.

15. El médico (es, está) en el hospital.

6 Read the following story.

¡Pobre Manuel! Él no está bien hoy. Está en casa todo el día porque está enfermo. Él no desea comer. No desea leer. No desea mirar la televisión. La madre de Manuel está triste también cuando ella ve al muchacho enfermo.

MADRE: ¡Mi pobre hijo! Tú sufres mucho.

MANUEL: Sí, sufro mucho, mamá. Ay, ay, ay, ¡qué dolor!

MADRE: Mi pobre hijo necesita un médico. ¿Dónde está el doctor?

(*Entra el doctor González. Es joven y guapo. Él sabe mucho sobre la medicina. Él comprende a los jóvenes también.*)

EL DOCTOR GONZÁLEZ: ¿Dónde está el paciente? Ajá, aquí está el enfermo. ¿Cómo estás, joven? ¿Por qué estás triste? Mañana es un día de fiesta. No hay clases en la escuela.

MANUEL: ¿No hay clases? ¿Es un día de fiesta? Ay, gracias a Dios. ¡Estoy bien ahora!

VOCABULARIO

hoy today
todo el día all day
¿Cómo estás? How are you? (familiar)

el día de fiesta holiday
gracias a Dios thank God

Actividades

C. Complete each sentence with the correct word, based on the story you have just read.

1. Manuel no _____ bien hoy.

2. Está en _____ porque está _____.

3. Manuel _____ mucho.

4. El muchacho necesita un _____.

5. "¿Dónde _____ el doctor?"

6. El doctor González _____ joven.

7. "¿Cómo _____, joven? ¿Por qué _____ triste?"

8. Mañana _____ un día de fiesta.

9. No _____ clases en la escuela.

10. Ahora Manuel _____ contento.

D. *Preguntas personales.* When you answer these questions, be sure to give truthful answers!

1. ¿Está Ud. contento(-a) cuando hay clases?

_____

2. ¿Sufre Ud. mucho en la clase de español?

_____

3. ¿Desea Ud. mirar la televisión todo el día?

_____

4. ¿Es Ud. joven y guapo(-a)?

_____

5. ¿Dónde está Ud. ahora?

_____

CONVERSACIÓN

Hola, Carmen, ¿Cómo estás hoy?

No muy bien, doctor. Estoy enferma.

¡Ay, pobrecita! ¿Qué te pasa?

No deseo comer. No deseo mirar la televisión. Sufro mucho.

Tienes un resfriado y un poco de fiebre, Carmen.

¿Es necesario ir al hospital?

No. Necesitas un poco de medicina y dos o tres días en casa.

Oh, gracias, doctor. Muchísimas gracias.

el médico

la paciente

VOCABULARIO

¡pobrecita! poor little thing!
¿Qué te pasa? What's the matter with you?

el resfriado the cold (illness)
la fiebre the fever

E. Complete this conversation by using expressions chosen from the following list:

¿Es necesario ir al hospital?
Muchas gracias, doctora.
Estoy enfermo.
Deseo mirar la televisión.
Estoy muy contento.
Sufro mucho. No deseo comer.

F. *Información personal.* The school computer is assembling a personality profile for every student. You are asked to answer the following questions truthfully.

	Sí	No
1. ¿Es Ud. inteligente?	☐	☐
2. ¿Está Ud. contento (contenta)?	☐	☐
3. ¿Es Ud. gordo (gorda)?	☐	☐
4. ¿Está Ud. enfermo (enferma) el día de un examen?	☐	☐
5. ¿Es Ud. rico (rica)?	☐	☐
6. ¿Está Ud. triste en la clase de español?	☐	☐
7. ¿Es Ud. feo (fea)?	☐	☐
8. ¿Está Ud. cansado (cansada) todo el día?	☐	☐
9. ¿Es Ud. joven?	☐	☐
10. ¿Está Ud. bien hoy?	☐	☐

12 | Days and Months

1 Los días de la semana

	AGOSTO					
el lunes	lunes	martes	miércoles	jueves	viernes	sábado	domingo
el martes		1	2	3	4	5	6
el miércoles	7	8	9	10	11	12	13
el jueves	14	15	16	17	18	19	20
el viernes	21	22	23	24	25	26	27
el sábado	28	29	30	31			
el domingo							

2 Los días de trabajo

el **lunes**

el **martes**

el **miércoles**

el **jueves**

el **viernes**

3 El fin de semana

el **sábado**

el **domingo**

NOTE: The days of the week in Spanish are all masculine, and they begin with a *small* letter.

4 La semana

Hay siete días en una semana. Los días son el lunes, el martes, el miércoles, el jueves, el viernes, el sábado y el domingo. Hay cinco días de trabajo. Los adultos trabajan y los niños estudian en la escuela. Hay clases todos los días menos el sábado y el domingo.

"¿Qué día es hoy?"

"Hoy es viernes. ¿Por qué?"

"Porque mañana es sábado, gracias a Dios."

"Sí, mañana no hay clases. Es el fin de la semana."

"Bueno, entonces voy al cine mañana o domingo."

"Pero el lunes hay un examen de español. ¿No necesita estudiar?"

"No importa. Mañana voy a estudiar en la biblioteca y el domingo voy al cine. No necesito más que un día de estudio."

Complete the sentences:

1. Hay _____ días en una semana.

2. Los días de trabajo son _____, _____, _____,

   _____ y _____.

3. No hay clases el _____ y el _____.

4. Si hoy es martes, mañana es _____.

5. El sábado y el domingo son el _____ de la semana.

5 Los meses

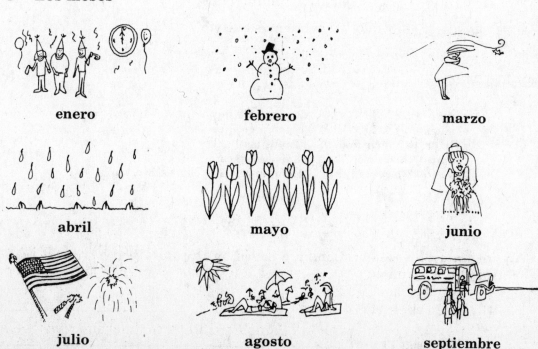

enero

febrero

marzo

abril

mayo

junio

julio

agosto

septiembre

129

octubre

noviembre

diciembre

6 *Una conversación en la clase.* Pablito es un niño de seis años. El señor Franco es el maestro de la clase.

EL SR. FRANCO: Buenos días, Pablito. ¿Cómo estás hoy?

PABLITO: Muy bien, gracias, señor. ¿Y Ud.?

EL SR. FRANCO: Bien, gracias. Pablito, ¿sabes tú qué día es hoy?

PABLITO: Sí, señor. Hoy es lunes, el primer día de la semana.

EL SR. FRANCO: ¿Cuántos días hay en una semana?

PABLITO: Hay siete días en una semana. Durante dos días, el sábado y el domingo, no hay clases y no trabajamos.

EL SR. FRANCO: Bien. ¿Sabes, Pablito, los meses y en qué mes estamos ahora?

PABLITO: ¡Claro! Hay doce meses en un año: enero, febrero, marzo, abril, mayo, junio, julio, agosto, septiembre, octubre, noviembre y diciembre. Enero es el primer mes y diciembre es el último. Hoy es el cinco de marzo.

EL SR. FRANCO: Muy bien. Y ahora, una pregunta difícil. ¿Cuántos días hay en cada mes?

PABLITO: Eso no es difícil. Hay un poema con la información:

> Treinta días hay en septiembre,
> y en abril, junio y noviembre,
> De veinte y ocho sólo hay uno,
> Los demás de treinta y uno.

EL SR. FRANCO: ¡Estupendo! Tú sabes más que yo.

VOCABULARIO

el **niño** child
el **maestro** teacher
primer, primero first
¿**cuánto**? how much?
¿**cuántos**? how many?

durante during
¡**claro**! of course!
último last
cada each, every
¡**Estupendo**! Stupendous! Marvelous!

Actividades

A. *Preguntas.* These questions are based on the story you have just read. Answer in Spanish.

1. ¿Quién es el señor Franco? _____

2. ¿Quién es Pablito? _____

3. ¿Es joven el muchacho? _____

4. ¿Cuántos días hay en una semana? _____

5. ¿Cuáles son los días de la semana? _____

_____

6. ¿Durante qué días de la semana no trabajamos? _____

_____

7. ¿Cuántos meses hay en un año? _____

8. ¿Cuáles son los meses? _____

_____

9. ¿Cuál es el primer mes? _____

10. ¿Hay más días en el mes de enero o en el mes de febrero? _____

_____

B. Write the missing months.

1. enero   2. _____

3. marzo   4. abril

5. _____   6. junio

7. _____   8. agosto

9. septiembre   10. _____

11. noviembre   12. _____

C. Write the Spanish names of the months for each season. (Each name begins with the letter shown.)

la primavera	*el verano*	*el otoño*	*el invierno*
1. m _____	j _____	s _____	d _____
2. a _____	j _____	o _____	e _____
3. m _____	a _____	n _____	f _____

D. Below each picture, write the Spanish name for *one* of the months commonly associated with the activity shown. (In some cases, the correct answer may be more than one month.)

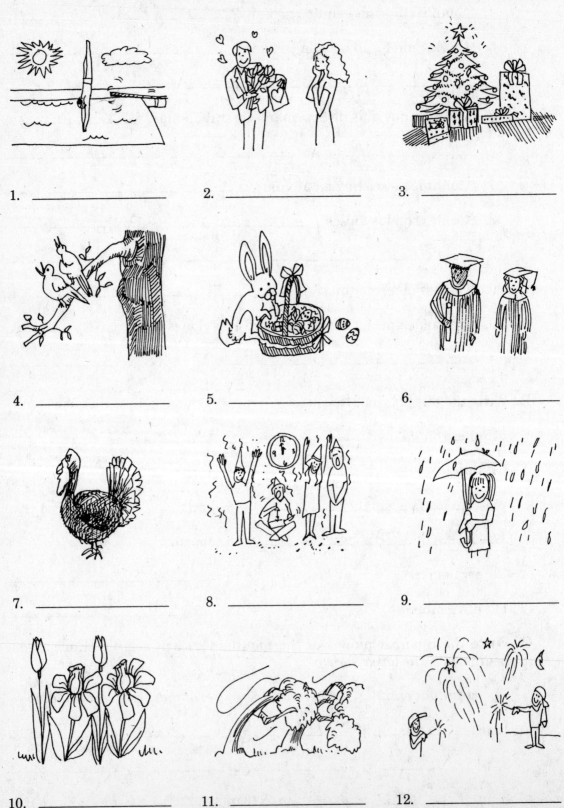

1. _____

2. _____

3. _____

4. _____

5. _____

6. _____

7. _____

8. _____

9. _____

10. _____

11. _____

12. _____

E. Complete this conversation by writing the missing words.

EL SR. FRANCO: Pablito, ¿sabes _____ _____ es

_____?

PABLITO: Hoy _____ lunes, el _____ _____

de la _____.

EL SR. FRANCO: ¿_____ días hay _____ _____

_____?

PABLITO: Hay _____ _____ en una _____.

El _____ y el _____, no hay _____.

EL SR. FRANCO: ¿En qué mes _____ ahora?

PABLITO: Hoy es el _____ de _____.

F. *Información personal*

Mi fecha de nacimiento: _____, _____, _____
                                      día   mes   año

Mi día favorito: _____

Mi mes favorito: _____

Mi estación (season) favorita: _____

Mis meses de vacaciones: _____

1985

	ENERO	FEBRERO	MARZO	ABRIL
LUNES	7 14 21 28	4 11 18 25	4 11 18 25	1 8 15 22 29
MARTES	1 8 15 22 29	5 12 19 26	5 12 19 26	2 9 16 23 30
MIÉRCOLES	2 9 16 23 30	6 13 20 27	6 13 20 27	3 10 17 24
JUEVES	3 10 17 24 31	7 14 21 28	7 14 21 28	4 11 18 25
VIERNES	4 11 18 25	1 8 15 22	1 8 15 22 29	5 12 19 26
SÁBADO	5 12 19 26	2 9 16 23	2 9 15 23 30	6 13 20 27
DOMINGO	6 13 20 27	3 10 17 24	3 10 17 24 31	7 14 21 28

	MAYO	JUNIO	JULIO	AGOSTO
LUNES	6 13 20 27	3 10 17 24	1 8 15 22 29	5 12 19 26
MARTES	7 14 21 28	4 11 18 25	2 9 16 23 30	6 13 20 27
MIÉRCOLES	1 8 15 22 29	5 12 19 26	3 10 17 24 31	7 14 21 28
JUEVES	2 9 16 23 30	6 13 20 27	4 11 18 25	1 8 15 22 29
VIERNES	3 10 17 24 31	7 14 21 28	5 12 19 26	2 9 16 23 30
SÁBADO	4 11 18 25	1 8 15 22 29	6 13 20 27	3 10 17 24 31
DOMINGO	5 12 19 26	2 9 16 23 30	7 14 21 28	4 11 18 25

	SEPTIEMBRE	OCTUBRE	NOVIEMBRE	DICIEMBRE
LUNES	2 9 16 23 30	7 14 21 28	4 11 18 25	2 9 16 23 30
MARTES	3 10 17 24	1 8 15 22 29	5 12 19 26	3 10 17 24 31
MIÉRCOLES	4 11 18 25	2 9 16 23 30	6 13 20 27	4 11 18 25
JUEVES	5 12 19 26	3 10 17 24 31	7 14 21 28	5 12 19 26
VIERNES	6 13 20 27	4 11 18 25	1 8 15 22 29	6 13 20 27
SÁBADO	7 14 21 28	5 12 19 26	2 9 16 23 30	7 14 21 28
DOMINGO	1 8 15 22 29	6 13 20 27	3 10 17 24	1 8 15 22 29

Repaso y Recreo Tercero: *Lessons 9–12*

1 *Vocabulary*

NOUNS

la semana	*los meses*	
el **lunes**	**enero**	**julio**
el **martes**	**febrero**	**agosto**
el **miércoles**	**marzo**	**septiembre**
el **jueves**	**abril**	**octubre**
el **viernes**	**mayo**	**noviembre**
el **sábado**	**junio**	**diciembre**
el **domingo**		

VERBS

abrir	**dividir**	**estar**	**recibir**	**sufrir**
cubrir	**escribir**	**ganar**	**ser**	**vivir**

ADJECTIVES AND ADVERBS

alegre	**caliente**	**enfermo**	**sentado**
allí	**cansado**	**frío**	**triste**
aquí	**contento**	**primer(-ro)**	**último**
bien			

2 *Grammar*

SER AND *ESTAR*

	SER	ESTAR
yo	**soy**	**estoy**
tú	**eres**	**estás**
Ud. } él } ella }	**es**	**está**
nosotros(-as)	**somos**	**estamos**
Uds. } ellos } ellas }	**son**	**están**

1. Health   "**Estoy** bien, gracias."
2. Location   "¿Dónde **está** María?"
3. Temporary or change-   "Ellos **están** tristes."
   able condition

-IR Verbs

abr**ir**

yo	abr **o**
tú	abr **es**
Ud. ⎫	
él ⎬	abr **e**
ella ⎭	
nosotros(-as)	abr **imos**
Uds. ⎫	
ellos ⎬	abr **en**
ellas ⎭	

Actividades

A. *Acróstico.* After filling in all the boxes, you will find a mystery word in the column under the arrow.

1. 11th month of the year
2. First (m.)
3. he
4. sad
5. 10th month of the year
6. cold
7. there
8. hot
9. to be

B. *Buscapalabras*

E	N	E	R	O	L	A	O	N	M
V	A	O	C	T	U	B	R	E	I
I	O	D	B	S	N	R	S	I	É
E	G	A	C	O	E	I	E	B	R
R	N	B	D	G	S	L	V	E	C
N	I	A	M	A	R	T	E	S	O
E	M	S	A	Í	R	F	U	I	L
S	O	E	R	F	G	H	J	J	E
N	D	R	Z	R	A	T	S	E	S
M	A	Y	O	L	V	I	V	I	R

Find:

7 days of the week	6 months	3 verbs
_____	_____	_____
_____	_____	_____
_____	_____	_____
_____	_____	**1 adjective**
_____	_____	_____
_____	_____	**1 adverb**
_____		_____

C. *Letter mix-up.* Unscramble the letters to form words.

1. SELUN _____

2. SENRIEV _____

3. ADBOSÁ _____

4. TAMSER _____

5. ESJEVU _____

6. GIMODON _____

7. SILOCREMÉ _____

D. *Los signos del zodíaco.*

Acuario	del 20 de enero al 18 de febrero
Piscis	del 19 de febrero al 20 de marzo
Aries	del 21 de marzo al 19 de abril
Tauro	del 20 de abril al 20 de mayo
Géminis	del 21 de mayo al 21 de junio
Cáncer	del 22 de junio al 22 de julio
Leo	del 23 de julio al 22 de agosto
Virgo	del 23 de agosto al 22 de septiembre
Libra	del 23 de septiembre al 23 de octubre
Escorpio	del 24 de octubre al 21 de noviembre
Sagitario	del 22 de noviembre al 21 de diciembre
Capricornio	del 22 de diciembre al 19 de enero

Here are the names of members of the Spanish Club and their birthdays. Write their signs of the Zodiac.

Nombre	Fecha de nacimiento	Signo del zodíaco
1. Olga	el 5 de mayo	_____
2. Pedro	el 2 de enero	_____
3. Manuel	el 30 de agosto	_____
4. María	el 4 de marzo	_____
5. Francisco	el 20 de septiembre	_____
6. Jorge	el 15 de febrero	_____
7. Lupe	el 14 de octubre	_____
8. Antonio	el 22 de diciembre	_____
9. Casimiro	el 23 de abril	_____
10. Yolanda	el 4 de julio	_____

PICTURE STORY

Lupita está enferma

Es el mes de 
JANUARY
. Es viernes, el último día de clases. Lupita, una  de nueve años, no está en la  ; está en  .

¡Pobre Lupita! Ella está muy  hoy; no está  . Ella no tiene mucho apetito. La  de Lupita prepara una  deliciosa pero Lupita no desea  . Ella tiene muchos 
THE NEWS
y  , pero no desea  . Lupita sufre mucho. Ella no desea mirar la  y no desea escuchar la  .

Entra el doctor González. Es un 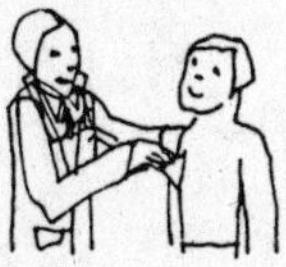 inteligente y bueno. "Lupita, es necesario tomar la 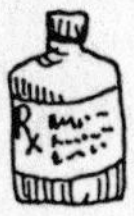 y beber mucha 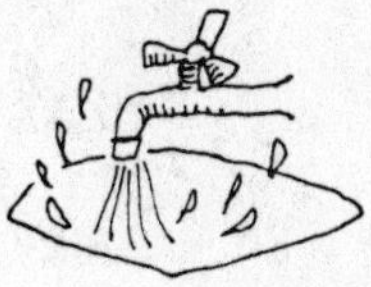 . Mañana no hay clases. Es sábado."

A. Vocabulary (15 points)

(1) Label the following pictures in Spanish.

1. _____

2. _____

3. _____

4. _____

5. _____

6. _____

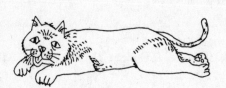

7. _____

8. _____

9. _____ 10. _____

(2) *¿Cierto o falso?* If the statement is true, write *cierto*. If it is false, write it correctly.

1. La profesora está en la escuela. _____

2. El tigre es un animal pequeño. _____

3. El café es amarillo. _____

4. La secretaria trabaja en una oficina. _____

5. El perro come flores. _____

B. Definite and indefinite articles (10 points); *lessons 1, 2, 3*

Write the correct Spanish article.

1. _____ puerta
   the

2. _____ ventanas
   the

3. _____ alumnos
   the

4. _____ profesores
   the

5. _____ hombre
   a

6. _____ mujer
   a

7. _____ muchachas
   the

8. _____ bicicleta
   a

9. _____ hotel
   an

10. _____ aviones
    the

C. Verbs (20 points); *lessons 4, 7, 10*

Complete each sentence with the correct form of the Spanish verb.

1. hablar   Yo _____ español.
                     speak

2. beber   Nosotros _____ leche.
                         drink

3. bailar   Él _____ la conga.
                    dances

4. abrir   Ellos ＿＿＿＿＿＿＿＿＿ los libros.
                       open

5. cantar   Tú ＿＿＿＿＿＿＿＿＿ muy bien.
                     sing

6. escribir   Usted ＿＿＿＿＿＿＿＿＿ una composición.
                      write

7. contestar   Pedro ＿＿＿＿＿＿＿＿＿ las preguntas.
                      answers

8. vivir   Pedro y María ＿＿＿＿＿＿＿＿＿ en Puerto Rico.
                               live

9. trabajar   La muchacha ＿＿＿＿＿＿＿＿＿ en la tienda.
                          works

10. cubrir   Yo ＿＿＿＿＿＿＿＿＿ la mesa.
                     cover

11. desear   Él ＿＿＿＿＿＿＿＿＿ el papel.
                   wants

12. comer   Nosotras ＿＿＿＿＿＿＿＿＿ en el restaurante.
                       eat

13. estudiar   Ella ＿＿＿＿＿＿＿＿＿ en casa.
                     studies

14. leer   Mi padre ＿＿＿＿＿＿＿＿＿ el periódico.
                     reads

15. pasar   Tú ＿＿＿＿＿＿＿＿＿ por la ciudad.
                   pass

16. aprender   Ellos ＿＿＿＿＿＿＿＿＿ la lección.
                     learn

17. comprar   Yo ＿＿＿＿＿＿＿＿＿ un sombrero nuevo.
                   buy

18. recibir   Ustedes ＿＿＿＿＿＿＿＿＿ el dinero.
                     receive

19. ver   Nosotros ＿＿＿＿＿＿＿＿＿ el automóvil.
                   see

20. mirar   La profesora ＿＿＿＿＿＿＿＿＿ la televisión.
                     looks at

D. Negative and interrogative sentences (10 points); *lesson 5*

Make the following sentences negative.

1. La profesora trabaja mucho. _____

2. Los automóviles pasan. _____

3. Tú contestas bien. _____

4. Ella practica la música. _____

5. Ellos escuchan la lección. _____

Change the statements to questions.

6. Usted habla español. _____

7. Ustedes cantan bien. _____

8. Yo estudio. _____

9. Tú comes mucho. _____

10. La mujer trabaja. _____

E. "To be": *ser* and *estar* (10 points); *lessons 9 and 11*

Decide whether *ser* or *estar* should be used, and complete the sentence with the correct form of the verb.

1. ¿Cómo _____ usted?

2. Yo _____ americano.

3. Yo _____ aquí.

4. El café _____ caliente.

5. Ella _____ profesora.

6. La leche _____ fría.

7. Ustedes _____ abogados.

8. Pedro _____ triste.

9. Mi hermano _____ policía.

10. Nosotros _____ contentos.

F. Numbers (10 points); *lesson 6*

Complete each sentence by writing the Spanish word for the correct number.

1. Dos y dos son _____.

2. Cuatro y dos son _____.

3. Seis y dos son _____.

4. Tres por cinco son _____.

5. Diez menos cinco son _____.

6. Diez dividido por cinco son _____.

7. Cuatro por cuatro son _____.

8. Nueve menos siete son _____.

9. Quince y cinco son _____.

10. Diez y ocho dividido por dos son _____.

G. Adjectives (10 points); *lesson 8*

Write the correct form of the Spanish adjective.

1. the red car   el automóvil _____

2. the white milk   la leche _____

3. the blue sky   el cielo _____

4. the green leaves   las hojas _____

5. the fat man   el hombre _____

6. the rich women   las mujeres _____

7. the pretty girl   la muchacha _____

8. the American flag   la bandera _____

9. the large houses   las casas _____

10. the old men   los hombres _____

144

H. Days and months (10 points); *lesson 12*

Complete the sentences.

1. Si hoy es martes, mañana es _____.

2. El fin de la semana es el _____ y el domingo.

3. El primer día de trabajo es _____.

4. Hay _____ días en una semana.

5. El primer mes es _____.

6. El último mes es _____.

7. Hay veinte y ocho días en el mes de _____.

8. Treinta días hay en septiembre, abril, junio y _____.

9. No hay clases en los meses de _____ y _____.

10. Hay _____ meses en un año.

I. Expressions (5 points)

Answer the following questions in complete Spanish sentences.

1. ¿Cómo se llama usted? _____

2. ¿Cómo está usted hoy? _____

3. ¿De qué color son las hojas de un árbol en el verano (summertime)?

_____

4. ¿Cuántos días hay en el mes de octubre? _____

5. ¿Dónde trabaja el profesor (la profesora)? _____

Segunda Parte

EL MONSTRUO

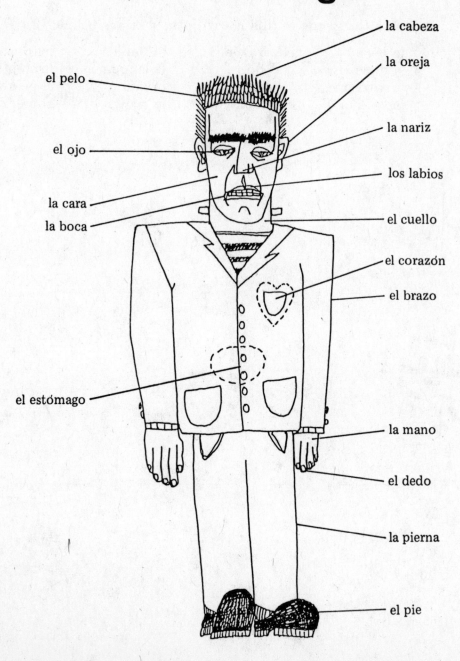

la cabeza

la oreja

el pelo

la nariz

el ojo

los labios

la cara

la boca

el cuello

el corazón

el brazo

el estómago

la mano

el dedo

la pierna

el pie

1 This monster may look weird, but the parts of his body are the same as yours and mine. Study the Spanish names for them. Here are a few more, which are not shown:

los **dientes,** teeth   la **lengua,** tongue

Actividad

A. Now match the words in this list with the pictures below:

la boca	el corazón	los labios	los ojos
el brazo	el dedo	la lengua	la oreja
la cabeza	los dientes	la mano	el pelo
la cara	el estómago	la nariz	el pie

1. _____   2. _____

3. _____   4. _____   5. _____

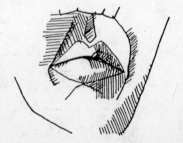

6. _____   7. _____   8. _____

150

9. _____   10. _____   11. _____

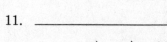

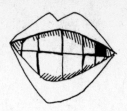

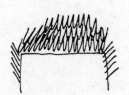

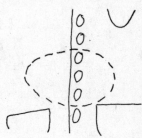

12. _____   13. _____   14. _____

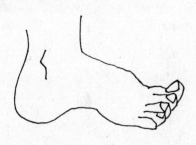

15. _____   16. _____

B. Match each verb with the parts of the body that are used in the "action" it refers to. (Some blanks will contain more than one letter.)

Action	*Part of the Body Used*	
_____ 1. hablar	*a.* la mano	*i.* los labios
_____ 2. bailar	*b.* el dedo	*j.* la lengua
_____ 3. cantar	*c.* la cabeza	*k.* los dientes
_____ 4. estudiar	*d.* la cara	*l.* el pelo
_____ 5. preguntar	*e.* la nariz	*m.* el brazo
_____ 6. trabajar	*f.* los ojos	*n.* el estómago
_____ 7. mirar	*g.* la oreja	*o.* el pie
_____ 8. beber	*h.* la boca	

_____ 9. comer

_____ 10. leer

_____ 11. ver

_____ 12. correr

_____ 13. abrir

_____ 14. escribir

_____ 15. responder

2 Now that we know the Spanish names for various parts of the human body, we're ready to read the incredible story of the mad Spanish scientist, Dr. Francisco Frankenpiedra, and the horrible monster he created!

But before we begin, we must learn a new irregular verb in order to be able to understand the story:

tener to have

yo	**tengo**	I have
tú	**tienes**	you have
Ud.		you have
él	**tiene**	he
ella		she } has
nosotros(-as)	**tenemos**	we have
Uds.	**tienen**	you
ellos (-as)		they } have

Do you see why this verb is irregular? All the *endings* are regular: **-o, -es, -e,** etc. However, the **yo** form has a **g** (tengo) and all the other forms (except **tenemos**) add an **i**: tiene, tienes, tienen.

3 We'll see more of this important verb later on. But now, on with the story.

La creación de un monstruo

Lugar: el laboratorio de un científico loco, el doctor F. Frankenpiedra

Personas: el Dr. Frankenpiedra
Igor, el ayudante
el Monstruo, una combinación de muchas partes de cadáveres diferentes

EL DR. FRANKENPIEDRA: Esta noche voy a hacer una vida nueva, una criatura horrible.

IGOR: Sí, maestro.

DR. F: Primero, necesito un cuerpo. ¿Dónde está el cuerpo, Igor?

IGOR: Aquí tiene usted un cuerpo, maestro—un cuerpo viejo y feo.

DR. F: Bien, bien. Ahora necesito dos brazos, Igor.

IGOR: Aquí están, maestro. Dos brazos largos con mucho pelo.

DR. F: Bueno, ¿Y las manos?

IGOR: Dos manos. Una mano de un hombre y la otra mano de un gorila.

DR. F: ¿Cuántos dedos tienen las manos?

IGOR: Diez dedos, maestro.

DR. F: Perfecto.

IGOR: Siete dedos en una mano y tres en la otra.

DR. F: No importa. Los pies. ¿No tenemos pies?

IGOR: Sí, maestro. Un pie grande y el otro pequeño.

DR. F: Está bien. El monstruo no necesita bailar. Pero no tiene cabeza.

IGOR: Aquí, maestro. Una cabeza pequeña con una cara estúpida.

DR. F: Magnífico. Y ahora, la corriente de electricidad para dar (give) vida al monstruo.

BZZZZZZZZZZZZ

IGOR: Mire. El monstruo vive. El monstruo desea hablar.

DR. F: ¡Habla! ¡Habla!

MONSTRUO: Yo hablo, tú hablas, él habla, . . .

DR. F: ¡Qué monstruo! Es un profesor de español. Es _____.
    (Fill in the name of a Spanish teacher).

VOCABULARIO

el **lugar** place	**maestro** (*in this story*) master
el **científico** scientist	el **cuerpo** body
loco crazy, mad	el **gorila** gorilla
el **ayudante** assistant	la **corriente** current
el **cadáver** corpse, dead body	

Actividades

C. *¿Cierto o falso?* If the statement is true, write *cierto*. If it is false, write *falso* and correct it orally.

1. El doctor Frankenpiedra es loco.   _____

2. El monstruo tiene el cuerpo de un joven.   _____

3. El monstruo no tiene brazos.   _____

4. Cada mano tiene cinco dedos.   _____

5. El monstruo necesita pies para bailar.   _____

6. La cabeza tiene una cara inteligente.   _____

7. El doctor usa la electricidad para dar vida al monstruo.

_____

8. El monstruo no sabe hablar.

_____

9. El doctor trabaja solo.

_____

10. El monstruo habla español.

_____

D. Fill in the Spanish names for the labeled parts.

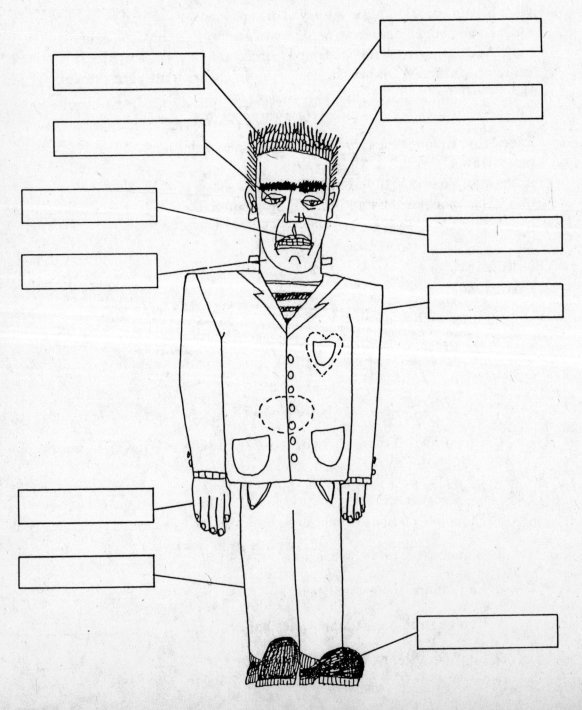

E. Write the Spanish names for the parts of the body that begin with the letters shown.

1. la m _____ .　　　2. la c _____

3. el d _____　　　4. los o _____

5. la b _____　　　6. los l _____

7. la l _____　　　8. el p _____

9. los d _____　　　10. la n _____

4　More about the verb *tener*

There are some common Spanish expressions that use the verb **tener** (to have) where the English equivalent uses the verb *to be*. Here they are:

tener frío	to be cold (= to *feel* cold)
tener calor	to be warm
tener hambre	to be hungry
tener sed	to be thirsty
tener _____ años	to be _____ years old

Let's see how they work. If you say, for example, "I *am* hungry" in English, you would have to say in Spanish "yo **tengo** hambre" (which actually means "I *have* hunger"). If you want to say "she *is* cold," the Spanish equivalent is "ella **tiene** frío" (meaning "she *has* cold").

NOTE. These expressions are used only if the subject is a *person*. For objects or liquids, we would have to use the expressions **estar caliente** and **estar frío(-a)**:

the boy is warm (hot) = el muchacho **tiene calor**
　　　　　But:
the coffee is warm (hot) = el café **está caliente**
the sodas are cold = las sodas **están frías**

And here's another important expression, although it does not belong in this group:

tener que (+ an infinitive)　to have to

For example,

Yo **tengo que** trabajar.　I have to work.

Actividades

F. Match the Spanish expressions with their English equivalents.

_____ 1. Yo tengo hambre.

_____ 2. Ella tiene sed.

_____ 3. Nosotros tenemos frío.

_____ 4. Él tiene mucho calor.

_____ 5. María tiene quince años.

_____ 6. ¿Tiene Ud. que comer ahora?

_____ 7. Yo no tengo sed ahora.

_____ 8. ¿No tiene Ud. frío en diciembre?

_____ 9. ¿Cuántos años tiene Ud.?

_____ 10. Tengo calor ahora.

a. She is thirsty.

b. He is very warm.

c. Mary is 15 years old.

d. How old are you?

e. I am not thirsty now.

f. Aren't you cold in December?

g. I am warm now.

h. I am hungry.

i. We are cold.

j. Do you have to eat now?

G. Write the correct label for each picture, choosing among the following:

La nena tiene un año.
Los hombres tienen hambre.
El viejo tiene sed.
Yo tengo mucho calor.
Ella tiene que ir a la escuela.

¿Cuántos años tiene Ud.?
¿Tiene Ud. frío?
¿Tienes hambre?
Él no tiene frío.

1. _____   2. _____

156

3. _____   4. _____

5. _____   6. _____

7. _____   8. _____

9. _____

157

H. Complete this conversation by using expressions chosen from the following list:

Diez, maestro.
Aquí tiene usted un cuerpo viejo y feo.
¡El monstruo vive!

El monstruo no necesita bailar.
No tiene cabeza.
Aquí están, maestro.

I. *Información personal.* Complete the sentences.

Mi cuerpo

1. Tengo _____ cabeza.

2. La cabeza tiene _____ ojos _____.
   (name the color)

3. Tengo _____ brazos y _____ manos.

4. Las manos tienen _____ dedos.

5. Tengo una _____ inteligente.

158

14 | How to Tell Time in Spanish

1 ¿Qué hora es?

Es la una.

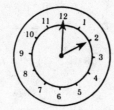

Son las dos.

Son las tres.

Son las cuatro.

Son las cinco.

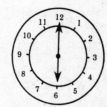

Son las seis.

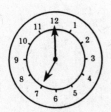

Son las _____.

Son las _____.

Son las _____.

Son las _____.

Son las _____.

Son las _____.
Es mediodía.
Es medianoche.

Referring to the examples above, see if you can answer the following questions:

1. How do you say "What time is it?" in Spanish? _____

2. What are the two words for "it is" when saying "it is one o'clock"? _____

_____

3. What are the two words for "it is" when saying any other hour? _____

_____

4. How do you say "it is noon"? "Es _____." How do

you say "it is midnight"? "Es _____."

Here are the answers:

¿Qué hora es?   What time is it?

Es la una.   It is one o'clock. (To express
                             "one o'clock," use "**Es la** . . . ")

Son las dos (tres, cuatro,   It is two (three, four, etc.) o'clock.
etc.).   (For any other hour, use
                               "**Son las**. . . ")

2   Now look at these times:

Es la una y cuarto.

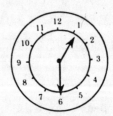

Es la una y media.

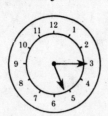

Son las cinco y cuarto.

Son las cinco y media.

Do you see how "a quarter after" and "half past" are expressed in Spanish?

a quarter after: y _____

half past: y _____

The rule is:

If we want to say "a quarter after," we add **y cuarto**; if we want to say "half past," we add **y media.**

160

Actividades

A. What do the following mean?

1. Son las diez y media. _____

2. Son las cinco y cuarto. _____

3. Son las siete y media. _____

4. Son las tres y cuarto. _____

5. Son las ocho y media. _____

B. Tell the time in Spanish.

1. It's 1:15. _____

2. It's 2:30. _____

3. It's 3:00. _____

4. It's 4:15. _____

5. It's 11:30. _____

3 Suppose we want to say "it's 1:20" or "2:16" or "4:25"—that is, we want to add a number of minutes past the hour, up to (but not including) the half-hour? It's easy. Notice how such times are expressed in Spanish:
Here's how:

It's 1:20.

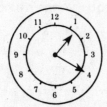

Es la una y
veinte.

It's 2:16.

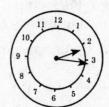

Son las dos y
diez y seis.

It's 4:25.

Son las cuatro
y veinte y
cinco.

It's 9:10.

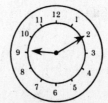

Son las nueve
y diez.

161

What did we do? We *added* the number of minutes after the hour.

Now express *these* times in Spanish:

1. It's 3:10. _____

2. It's 5:17. _____

3. It's 8:28. _____

4 So far, so good. But what happens when you get past the half-hour mark? For example, we learned that "it's 9:30" is **son las nueve y media,** but how would you say "it's 9:31" or "9:43"? How do we express such times as 10:55 or 2:40? Here's how:

It's 9:31.   It's 10:55.   It's 2:40.

Son las diez menos   Son las once menos   Son las tres
veinte y nueve.   cinco.   menos veinte.

Do you see what we've done? Once we get past the halfway point on the clock's

face, we use the _____ hour and _____ the number of minutes from that hour.

That's right: We use the *next* hour and *subtract* the number of minutes from that hour. For example, "it's 8:55" would be **son las nueve menos cinco** ("it's 9 o'clock minus five").

Express these times in Spanish:

1. It's 2:36. _____

2. It's 7:58. _____

3. It's 3:40. _____

4. It's 6:50. _____

5 One more detail, and we'll be able to tell any time in Spanish:

A.M. or "in the morning" is **de la mañana.**
P.M. or "in the afternoon" is **de la tarde.**
P.M. or "in the evening" is **de la noche.**

Some examples:

It's 5:00 A.M.   Son las cinco **de la mañana.**
It's 3:30 P.M.   Son las tres y media **de la tarde.**
It's 9:15 P.M.   Son las nueve y cuarto **de la noche.**

Actividades

C. Now let's put it all together. Here are some daily activities. Below each picture, underline the most likely answer to the question ¿**Qué hora es**?

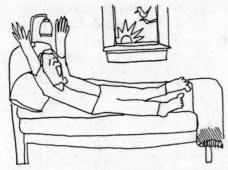

1. *a.* Es la una y media de la tarde.
   b. Son las siete de la mañana.
   c. Son las tres.

2. *a.* Son las nueve y media.
   b. Son las cuatro.
   c. Son las siete y media.

3. *a.* Son las ocho y diez.
   b. Son las once de la noche.
   c. Es la una y cuarto.

4. *a.* Son las siete.
   b. Son las dos de la tarde.
   c. Es mediodía.

5. *a.* Son las tres.
   b. Son las once y media.
   c. Son las dos menos veinte.

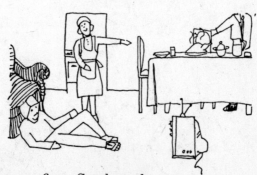

6. *a.* Son las ocho.
   b. Son las seis.
   c. Son las diez.

7. *a.* Son las dos y media.
   b. Son las cinco y cinco.
   c. Son las doce menos cinco.

8. *a.* Son las seis de la tarde.
   b. Son las diez menos diez.
   c. Es la una de la mañana.

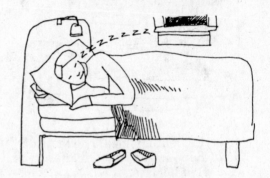

9. *a.* Son las cuatro menos diez.
   b. Son las siete de la noche.
   c. Son las diez y cuarto.

10. *a.* Es medianoche.
    b. Son las diez y cinco.
    c. Son las nueve y media.

D. What time is it on each clock? Complete the sentences below the clocks.

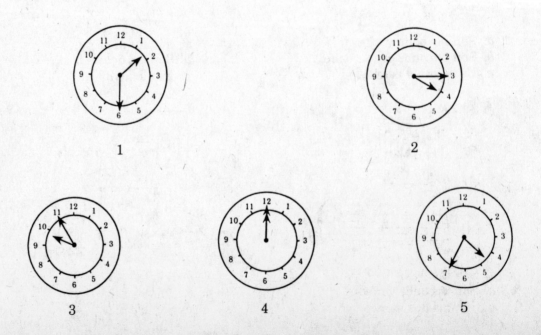

1

2

3

4

5

164

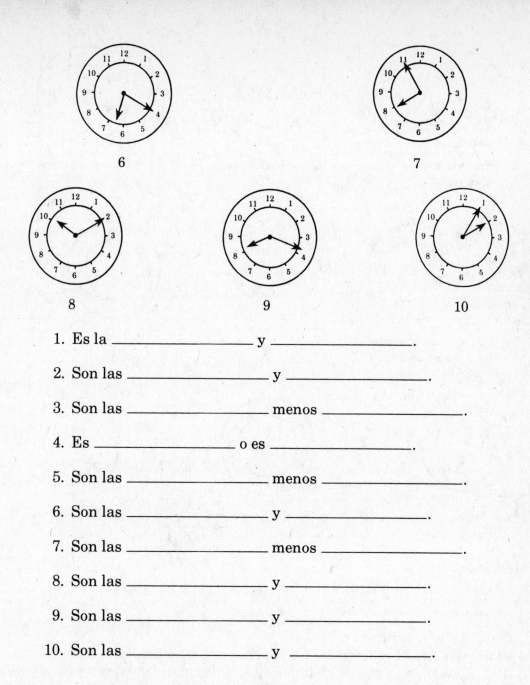

6

7

8

9

10

1. Es la _____ y _____ .

2. Son las _____ y _____ .

3. Son las _____ menos _____ .

4. Es _____ o es _____ .

5. Son las _____ menos _____ .

6. Son las _____ y _____ .

7. Son las _____ menos _____ .

8. Son las _____ y _____ .

9. Son las _____ y _____ .

10. Son las _____ y _____ .

E. These clocks have lost their minute hands. Repair the clocks by drawing new minute hands that show the correct time.

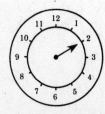

1. Son las dos.

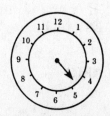

2. Son las cuatro y media.

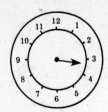 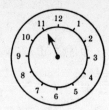 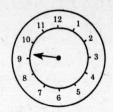

3. Son las tres y cuarto.

4. Son las nueve y once.

5. Son las once y cinco.

6. Son las cinco menos diez.

7. Es la una y cuarto.

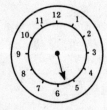  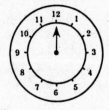

8. Son las seis menos veinte y cinco.

9. Es medianoche.

10. Es mediodía.

6 *Diálogo*

Es tarde

JUAN: Mamá, ¿qué hora es?

MAMÁ: ¿No escuchas la radio? Son las nueve y media, hijo.

JUAN: ¿Las nueve y media? Es imposible. Miro mi reloj y son las ocho y diez.

MAMÁ: Tu reloj no va bien. Necesitas otro reloj. ¿Por qué no compras un reloj nuevo?

JUAN: Sí, sí. Pero ¿qué hago yo ahora? Es tarde, y hay un examen en mi clase de inglés hoy a las nueve.

MAMÁ: ¿Hay un examen hoy? Pero hoy es sábado. No hay clases en la escuela.

JUAN: ¿Es sábado hoy? ¡Qué sorpresa? Sí, es sábado. Gracias a Dios.

VOCABULARIO

el **hijo** son	¿**Qué hago yo?** What do I do?
el **reloj** clock, watch	**no va** doesn't go
ahora now	la **sorpresa** surprise
tu your	

PREGUNTAS

1. ¿Con quién habla la mamá?

   _____

2. En el reloj de Juan, ¿qué hora es?

   _____

3. ¿Qué hora es en la radio?

   _____

4. ¿En qué clase tiene Juan un examen?

   _____

5. ¿Por qué no hay clases hoy?

   _____

6. ¿Cómo está Juan ahora?

   _____

7 Now you know what to say when someone asks **¿Qué hora es?** But how do you reply if someone asks:

¿A qué hora?   At what time?

For example:

¿A qué hora termina la clase?   At what time does the class end?

Here's one possible answer:

   La clase termina **a las dos.**   The class ends at two o'clock.

If "at two o'clock" is **a las dos,** how would you say "at *one* o'clock"?

_____ If you wrote **a la una,** you're correct.

Actividades

F. Underline the most likely answer to the question ¿**A qué hora**?

1. Lupita va a la escuela
   a. a las ocho de la mañana
   b. a las tres de la tarde
   c. a mediodía

2. La familia come
   a. a las ocho de la noche
   b. a las diez de la mañana
   c. a las cuatro de la tarde

3. Los alumnos entran en la cafetería
   a. a la una de la noche
   b. a las tres de la tarde
   c. a mediodía

4. Hoy el sol se pone (sets)
   a. a las cinco de la mañana
   b. a las cinco y media de la tarde
   c. a medianoche

G. Complete the Spanish sentences.

5. What time is it? It is 7 o'clock.

   ¿Qué hora es? _____ las siete.

6. At what time do we eat? We eat at 7 o'clock.

   ¿_____ comemos nosotros? Nosotros comemos

   _____ .

7. At what time do you watch television?

   ¿_____ miras la televisión?

168

I watch television at 8 o'clock.

Miro la televisión _____.

8. They leave the house at 9 o'clock.

Ellos salen de la casa _____.

9. When does the teacher come in? She comes in at 8:30.

¿_____ entra la profesora? Ella entra _____.

10. I do the homework at 9 o'clock.

Yo hago las tareas _____.

H. Complete this conversation by using expressions chosen from the following list:

Son las ocho y media.   Hoy es viernes.
No hay clases en la escuela hoy.   Hoy es sábado.
Mañana es domingo.   Tu reloj no va bien.

169

I. *Información personal.* Tell how you spend the day by completing the following sentences, which contain some new expressions.

hago	I do
juego	I play
llego a	I arrive at, get to
me acuesto	I go to bed
me despierto	I wake up
me levanto	I get up
tomo el desayuno	I eat ("take") breakfast
vuelvo a casa	I return home

Como paso el día

1. Yo me levanto a las _____.

2. Tomo el desayuno a las _____.

3. Salgo de la casa a las _____.

4. Llego a la escuela a las _____.

5. Vuelvo a casa a las _____.

6. Juego con mis amigos a las _____.

7. Hago mi trabajo escolar (schoolwork) a las _____.

8. Miro la televisión a las _____.

9. Me acuesto a las _____.

10. Me despierto a las _____.

15 | Possessive Adjectives

mi perro

mis perros

tu gato

tus gatos

nuestro padre

nuestra madre

nuestros amigos

nuestras amigas

su libro

sus libros

1 We already know the subject pronouns. In case you've forgotten, here's a list of them. Next to them is a list of the possessive adjectives that correspond to them.

Subject Pronouns		Possessive Adjectives	
yo	I	**mi, mis**	my
tú	you (familiar)	**tu, tus**	your
Ud.	you (formal)	**su, sus**	your
él	he	**su, sus**	his
ella	she	**su, sus**	her
nosotros(-as)	we	**nuestro, -a** **nuestros, -as** }	our
Uds.	you (plural)	**su, sus**	your
ellos(-as)	they	**su, sus**	their

Possessive adjectives are words that show who owns something. Their English forms are *my, our, your, his, her, its, their.*

Look again at the pictures that begin this lesson. The little girl holding the dog says it's "**mi** perro" (my dog). In the next picture she says they're "**mis** perros" (my dogs). Why? How many words are there in Spanish for *my?* ____

Answer: In Spanish, the word for *my* is **mi** when the noun is in the singular, **mis** when the noun is in the plural. For example:

my book	**mi** libro
my books	**mis** libros

Now you do some. Write the Spanish word for *my* in front of the following nouns:

1. _____ hermana   2. _____ lápiz

3. _____ casas   4. _____pluma

5. _____automóviles

2 The next possessive adjective is the word for *your*—the familiar form (used when speaking to a friend or a child):

your bicycle	**tu** bicicleta
your bicycles	**tus** bicicletas

Write the Spanish word for *your* (familiar form) in front of these nouns:

1. _____ padre   2. _____abuelos

3. _____escuelas   4. _____ libros

5. _____ amigo

3 The next possessive adjective is the word for *our*:

our book	**nuestro** libro
our books	**nuestros** libros
our house	**nuestra** casa
our houses	**nuestras** casas

How many possible words for *our* are there in Spanish? _____.

What are they? _____, _____, _____,

_____. When will each one be used?

Did you say *four*? You're right. Since **nuestro** ends in **-o**, it will have *four* endings: masculine singular (**-o**), feminine singular (**-a**), masculine plural (**-os**), feminine plural (**-as**).

Write the Spanish word for *our* before these nouns:

1. _____ perro   2. _____ tía

3. _____ maestro   4. _____ frutas

5. _____ profesor

4 The last possessive adjective is the word **su** and its plural form **sus**. **Su** and **sus** can mean *your* (formal and plural), *his, her,* or *their*:

yo tengo su libro can mean
{
I have *your* book
I have *his* book
I have *her* book
I have *their* book
}

yo veo sus casas can mean
{
I see *your* houses
I see *his* houses
I see *her* houses
I see *their* houses
}

Now see if you can do these correctly:

1. (his) _____ amigos   2. (her) _____ doctor

3. (your) _____ flores   4. (their) _____ abuelo

5. (your) _____ hijos   6. (her) _____ secretaria

7. (his) _____ lámparas   8. (their) _____ automóviles

9. (your) _____ hermana   10. (his) _____ discos

5 *Review.* The possessive adjectives are:

my	**mi, mis**
your (famil.)	**tu, tus**
our	**nuestro, nuestra, nuestros, nuestras**
your (formal)	
his, her	**su, sus**
your (plural)	
their	

Actividades

A. Now let's do *all* the possessive adjectives together. Underline the correct one.

1. my friends   (mi, mis) amigos
2. your (familiar) book   (tu, tus) libro
3. our houses   (nuestro, nuestra, nuestros, nuestras) casas
4. his teachers   (su, sus) profesores
5. her aunts   (su, sus) tías
6. my lesson   (mi, mis) lección
7. your (polite) party   (su, sus) fiesta
8. their family   (su, sus) familia
9. our money   (nuestro, nuestra, nuestros, nuestras) dinero
10. my newspapers   (mi, mis) periódicos

B. Now we'll make it a little harder. Write the correct possessive adjective. (Two answers are required in 15 and 18.)

11. (our) _____ profesora

12. (her) _____ automóvil

13. (my) _____ padre

14. (our) _____ amigos

15. (your) _____ periódico

16. (his) _____ escuela

17. (their) _____ médico

18. (your) _____ secretaria

19. (his) _____ ciudad

20. (her) _____ blusas

6 Here's a conversation between two little girls: Anita and Luisita. You can see that they're trying hard to impress each other!

ANITA: Buenas tardes, Luisita. ¿Cómo estás hoy?

LUISITA: Así así, Anita. Hay tanto trabajo.

ANITA: ¿Trabajo? ¿Por qué hay mucho trabajo?

LUISITA: Nuestra familia vive en una casa muy grande. Hay muchas habitaciones en nuestra casa. Y yo siempre ayudo a mi mamá cuando ella limpia la casa.

ANITA: Ah, sí, comprendo perfectamente. Mi casa también es enorme. Tenemos diez habitaciones. Mis padres tienen un dormitorio grande. Mi hermana y yo tenemos un dormitorio más pequeño, y mi hermano está solo.

LUISITA: ¿Cuántos cuartos de baño tienes en tu casa?

ANITA: Dos. Y además tenemos una sala donde mi padre recibe a sus amigos, un comedor donde comemos, y una cocina, donde prepara nuestra criada la comida.

LUISITA: Sí, nosotros tenemos una criada para cocinar y para servir la comida.

(En este momento, entra la mamá de Luisita.)

MAMÁ *(sola con su hija)*: Luisita, ¿por qué dices que tenemos una criada? Tú sabes que no es verdad.

LUISITA: Yo sé, mamá. Pero eso es sólo para hablar. Anita vive como nuestra familia, en un apartamento pequeño.

VOCABULARIO

además besides, in addition	**eso** that
el **apartamento** apartment	la **habitación** room
ayudar to help	**limpiar** to clean
la **cocina** kitchen	la **sala** living room
cocinar to cook	(yo) **sé** I know
el **comedor** dining room	**siempre** always
la **criada** maid, servant	**solo, sola** alone
el **cuarto de baño** bathroom	**sólo** only
el **dormitorio** bedroom	**tanto trabajo** so much work
enorme enormous, huge	**verdad: es verdad** it's true

Actividades

C. Complete the following sentences.

1. Luisita y Anita son _____.

2. Luisita siempre _____ a su mamá.

3. La mamá de Luisita _____ la casa.

4. Una casa grande tiene muchas _____.

5. Una persona prepara la comida en _____.

6. Los padres de Anita tienen un _____ grande.

7. Anita y su hermana tienen un _____ más pequeño.

8. El padre recibe a sus amigos en _____.

9. La familia come en _____.

10. La verdad es que Anita y Luisita viven en _____.

D. *Diálogo*. Complete this conversation by using expressions chosen from the following list:

Vivimos en un apartamento pequeño.   Hay cinco habitaciones.
Mi padre recibe a sus amigos en la sala.   Vive en una casa muy grande.
Mi madre prepara la comida allí.   Así así.

MARÍA: Buenas tardes, Luisa. ¿Cómo estás?

LUISA: _____

MARÍA: ¿Dónde vive tu familia?

LUISA: _____

MARÍA: ¿Cuántas habitaciones hay en la casa?

LUISA: _____

MARÍA: ¿Quién trabaja en la cocina ahora?

LUISA: _____

E. *Información personal*. Write the Spanish names for all the rooms in your house or apartment.

_____   _____

_____   _____

_____   _____

_____   _____

7 As we saw, **su(-s)** has several possible meanings: *your, his, her, their*. This can be a problem. Imagine that you had to say something like *this* in Spanish:

> Your book is on the table, his book is on the chair, and her book is on the floor.

You would have trouble making yourself understood if you expressed this as "**Su** libro está en la mesa, **su** libro está en la silla y **su** libro está en el suelo." To make sure the person listening to us knows which meaning of **su(-s)** is our *intended* meaning, we can replace that adjective with more precise expressions:

> **El libro de usted** está en la mesa, **el libro de él** está en la silla y **el libro de ella** está en el suelo.

In general:

your book
his book
her book
their book
} = **su** libro *or* {
el libro **de usted (de ustedes)**
el libro **de él**
el libro **de ella**
el libro **de ellos(-as)**

your books
his books
her books
their books
} = **sus** libros *or* {
los libros **de usted (de ustedes)**
los libros **de él**
los libros **de ella**
los libros **de ellos(-as)**

Actividades

F. Write the expression in a more exact form.

EXAMPLE:

(*sing.*) your books   sus libros   _____*los libros de usted*_____

1. his shirt   su camisa   _____

2. (*plural*) your house   su casa   _____

3. her dresses   sus vestidos   _____

4. their teacher   su profesor   _____

5. (*sing.*) your friends   sus amigos   _____

G. Express in Spanish in two ways: (*a*) by using *su* or *sus*; (*b*) by using a more exact expression.

EXAMPLE: (*a*)   (*b*)

(*plural*) your house   _____*su casa*_____   _____*la casa de ustedes*_____

1. their cars   _____   _____

2. his magazines   _____   _____

3. (*sing.*) your shoes   _____   _____

4. her notebook   _____   _____

5. their sister   _____   _____

16 | What to Say When You Like Something: The Verb *Gustar*; Foods and Restaurants

Un poema

Me gusta la leche,
Me gusta el café,
Pero más me gustan
Los ojos de usted.

1 *I like* is expressed in Spanish by **me gusta** or **me gustan**. For example:

(1) **Me gusta** la leche.	I like milk.
Me gusta el café.	I like coffee.
Me gusta el coche rojo.	I like the red car
Me gusta comer.	I like to eat.
(2) **Me gustan** las flores.	I like the flowers.
Me gustan los libros.	I like the books.
Me gustan los ojos de Ud.	I like your eyes.

Notice that **me gusta** was used with the examples in group (1) while **me gustan** was used with the examples in group (2). Why? What's the difference between the two groups? In group (1), the words **la leche** and **el café** were in

the _____; in group (2), the words **las flores** and **los libros** were

in the _____.

2 *Rule:* (1) **Me gusta** is followed by a noun in the *singular* or by an *infinitive*.

Me gusta **la clase**. (*singular*)
Me gusta **cantar**. (*infinitive*)

(2) **Me gustan** is followed by a noun in the *plural*.

Me gustan **los dulces**. (*plural*)

In other words, if what is liked is in the singular, use **gusta**. If what is liked is in the plural, use **gustan.**

Actividad

A. Complete these sentences with the correct form of **gustar.**

1. Me _____ la escuela.   I like the school.

2. Me _____ los profesores.   I like the teachers.

3. Me _____ estudiar.   I like to study.

4. Me _____ el trabajo.   I like the work.

5. Me _____ las lecciones.   I like the lessons.

6. Me _____ mirar la televisión.   I like to look at (watch)
                                                 television.

3 Now that you know how to say *I like*—**me gusta** or **me gustan**—here are the
other forms of *to like* in Spanish:

te gusta **te gustan** }	you like (familiar)
nos gusta **nos gustan** }	we like
le gusta **le gustan** }	you like (formal), he likes, she likes
les gusta **les gustan** }	you like (plural), they like

Notice that we follow the same rule in all cases:

Use **gusta** if the thing liked is in the singular or an infinitive; use **gustan** if
the thing liked is in the plural.

4 Now let's see how all the forms of *to like* are expressed with **gustar**:

Singular

Me gusta el auto.	I like the car.
Te gusta el auto.	You (familiar) like the car.
Le gusta el auto.	{ You (formal) like the car. He *or* she likes the car.
Nos gusta el auto.	We like the car.
Les gusta el auto.	{ You (plural) like the car. They like the car.

Plural

Me gustan los autos.	I like the cars.
Te gustan los autos.	You (familiar) like the cars.
Le gustan los autos.	{ You (formal) like the cars. He *or* she likes the cars.
Nos gustan los autos.	We like the cars.
Les gustan los autos.	{ You (plural) like the cars. They like the cars.

Warning! With **gustar**, do *not* use the subject pronouns **yo, tú, él, ella**, etc.

5 How do we use **gustar** negatively? To express "doesn't like" or "don't like" in Spanish, place the word **no** before the pronoun (**me, te, le,** etc.):

No me gusta la sopa.   I don't like the soup.
¿No te gustan las flores?   Don't you like the flowers?

Actividades

B. To the left of each Spanish sentence in column *A*, write the letter of its English equivalent in column *B*.

A	*B*
_____ 1. Me gusta el cine.	*a.* He doesn't like to write.
_____ 2. ¿Te gusta la planta?	*b.* Does she like the flowers?
_____ 3. No le gusta escribir.	*c.* I don't like the hats.
_____ 4. Nos gustan los platos.	*d.* Do you like the plant?
_____ 5. ¿Le gustan las flores?	*e.* They like the soup.
_____ 6. ¿No les gusta la soda?	*f.* I like the movies.
_____ 7. No me gustan los sombreros.	*g.* You like the salad.
_____ 8. Les gusta la sopa.	*h.* We like the white house.
_____ 9. Te gusta la ensalada.	*i.* Don't they like the soda?
_____ 10. Nos gusta la casa blanca.	*j.* We like the dishes.

C. Here are some more sentences in which *gustar* is used. Read them aloud, then write what they mean in English.

1. Me gusta el animal.   _____

2. Le gustan los actores.   _____

3. ¿Te gusta la universidad?   _____

4. No nos gustan los gatos.   _____

5. Me gustan los médicos.   _____

6. Les gustan los discos.   _____

7. Nos gusta el perro.   _____

8. Te gustan los muchachos.   _____

9. Le gusta el presidente. _____

10. No les gusta bailar. _____

6 Let's stop a moment to review a sentence of this type:

Le gusta cantar.   She likes to sing.

Suppose you wanted to say in Spanish "*Mary* likes to sing" or "*the girl* likes to sing"? This is how it's done:

Keep the Spanish expression meaning "she likes to sing" but add "A María" or "A la muchacha" to the beginning of the sentence:

A María le gusta cantar.   Mary likes to sing.
A la muchacha le gusta cantar.   The girl likes to sing.

Actividad

D. Complete the Spanish sentences.

EXAMPLE:

They like to work.   The men like to work.
Les gusta trabajar.   *A los hombres les gusta trabajar.*

1. She likes to dance.   Anita likes to dance.

_____   _____

2. He doesn't like to study.   Alberto doesn't like to study.

_____   _____

3. They like the class.   The boys like the class.

_____   _____

4. They like to read.   The students like to read.

_____   _____

5. He likes the oranges.   Paul likes the oranges.

_____   _____

182

7 Suppose "the thing liked" is not a noun but a pronoun? For instance, how do you say "I like *it*" or "I like *them*"? Here's how:

Me gusta.	I like it.	**Te gusta.**	You like it.
Me gustan.	I like them.	**Te gustan.**	You like them.
No me gustan.	I don't like them.	**¿No te gustan?**	Don't you like them?

The rule is simple. If "the thing liked" is *it*, use **gusta**; if "the thing liked" is *them*, use **gustan**.

Gustar really means *to please*. For example, *I like the house* is expressed in Spanish as "The house pleases me," and *I like the flowers* becomes "The flowers please me."

Thus, what are you *really* saying when you say *I like it* in Spanish?

_____ Correct: "It pleases me." Since *it pleases* = **gusta**, "it pleases me" becomes **me gusta**.

Similarly:

What are we really saying when we say *I like them* in Spanish? _____

_____ Correct again: "They please me." Since *they please* = **ellos gustan** or simply **gustan**, "they please me" becomes **me gustan**.

Actividad

E. Match the Spanish sentences in column *A* with their English equivalents in column *B*. (Each equivalent should be used only *once*.)

A	*B*
_____ 1. ¿No le gustan?	*a.* I don't like them.
_____ 2. Les gusta.	*b.* You like it.
_____ 3. Nos gustan.	*c.* He doesn't like them.
_____ 4. Les gusta.	*d.* We don't like it.
_____ 5. No me gustan.	*e.* They like it.
_____ 6. Te gusta.	*f.* They like them.
_____ 7. No le gustan.	*g.* Don't you like it?
_____ 8. ¿No le gusta?	*h.* Doesn't she like them?
_____ 9. ¿Le gusta?	*i.* Does she like it?
_____ 10. No nos gusta.	*j.* We like them.

8 As you have probably noticed, a problem may arise when **le** or **les** is used with forms of **gustar**. Imagine that you had to say something like *this* in Spanish:

> *She* likes to dance and *he* likes to sing. What do *you* like to do?

If you applied only what you have learned up to this point, you would come up with:

> Le gusta bailar y le gusta cantar. ¿Qué le gusta hacer?

—which has several possible meanings. Fortunately, in Spanish you can be as precise as you want to be. For clarity, we *add* certain expressions:

A ella le gusta bailar y **a él** le gusta cantar. ¿Qué le gusta **a usted** hacer?

Generally, here's how we can clarify the meaning of **le gusta**:

for clarity, we may add:

you like		**a Ud.** le gusta *or* le gusta **a Ud.**
he likes	**le gusta**	**a él** le gusta *or* le gusta **a él**
she likes		**a ella** le gusta *or* le gusta **a ella**
do you like? =	**¿le gusta?**	**¿a Ud.** le gusta? *or* ¿le gusta **a Ud.**?

—and also

you (*pl.*) like		**a Uds.** les gusta *or* les gusta **a Uds.**
they (*m.*) like	**les gusta**	**a ellos** les gusta *or* les gusta **a ellos**
they (*f.*) like		**a ellas** les gusta *or* les gusta **a ellas**

As you see, the expressions **a Ud., a él, a ella,** etc., may be placed either *before* **le(s)** or *after* **gusta**. If the sentence is negative, the first position occurs before **no le(s):**

for clarity, we may add:

he does not like = **no le gusta**   **a él** no le gusta *or* no le gusta **a él**

Actividad

F. Complete each Spanish sentence with an expression that clarifies the meaning of the pronoun.

1. You like it.

   _____ le gusta. *Or:* Le gusta _____.

2. She likes it.

   _____ le gusta. *Or:* Le gusta _____.

3. They (*f.*) like it.

   _____ les gusta. *Or:* Les gusta _____.

4. He likes it.

   _____ le gusta. *Or:* Le gusta _____.

5. Do they (*m.*) like it?

   ¿_____ les gusta? *Or:* ¿Les gusta _____?

6. She does not like it.

   _____ no le gusta. *Or:* No le gusta _____.

7. Don't you like it?

   ¿_____ no le gusta? *Or:* ¿No le gusta _____?

8. *She* likes milk but *he* likes wine.

   _____ le gusta la leche pero _____ le gusta
   el vino.

9. *You* don't like it but *they* (*f.*) do.

   No le gusta _____, pero _____ les gusta.

10. *She* likes it but *he* does not.

    Le gusta _____ pero no le gusta _____.

9 *En un restaurante*

CAMARERO: Muy buenas tardes. ¿Desean Uds. algo?

EL SR. QUESADA: Buenas tardes. ¿Tiene Ud. una lista de platos?

LA SRA. DE QUESADA: Ay, ¡cuánto me gusta ir a un restaurante y comer cosas
diferentes! ¿No te gusta también, mi vida?

EL SEÑOR: Sí, claro. Bueno, deseo el pollo con papas fritas y un vaso de vino. Y
para el postre, un helado de vainilla.

LA SEÑORA: Oh, no, Pepe. Tú eres muy gordo. No necesitas papas fritas y
helado. El azúcar y el alcohol del vino no son buenos para la salud. ¿No te
gustan los huevos?

EL SEÑOR: Pero Lupita, mi amor . . .

LA SEÑORA: Camarero, dos huevos duros con pan tostado y un vaso de agua
fría para mi marido.

EL SEÑOR: ¡Ay de mí!

CAMARERO: Y Ud., señora. ¿Desea Ud. lo mismo?

LA SEÑORA: ¡Oh, no! Como soy flaca, yo deseo un bistec con puré de papas, una
soda, y, para el postre, pudín de chocolate. Nos gusta tanto comer en los
restaurantes, amorcito, ¿no es verdad?

VOCABULARIO

amorcito, -a honey (term of affection)
¡Ay de mí! Woe is me!
el **azúcar** sugar
del (= de + el) of the
el **bistec** steak
el **camarero** waiter
claro of course
como as, since
¡cuánto me gusta . . . ! how much I enjoy
  (like to) . . . !
flaco, -a thin, skinny
gordo, -a fat
el **helado** ice cream
el **huevo** egg; **huevos duros** hard-boiled eggs
la **lista de platos** menu

lo mismo the same (thing)
el **marido** husband
mi amor }
mi vida } darling
el **pan** bread; **pan tostado** toast
las **papas fritas** french-fried potatoes
el **pollo** chicken
el **postre** dessert
el **pudín** pudding
el **puré de papas** mashed potatoes
la **salud** health
tanto so much
la **vainilla** vanilla
el **vaso** (drinking) glass
el **vino** wine

Actividad

G. Complete the sentences.

1. El señor Quesada y su mujer están en un _____.

2. El señor Quesada desea una lista de _____.

3. A la señora _____ gusta comer en un restaurante.

4. El señor desea comer _____, _____ _____

   y un vaso de _____.

5. Para el postre, le gusta un _____ de _____.

6. La señora cree (believes) que su marido es _____.

7. La Sra. de Quesada dice (says) que su marido necesita comer dos

   _____ _____ y un vaso de _____

   _____.

8. La Sra. de Quesada es una mujer _____.

9. La señora no desea comer _____ _____.

10. Le gusta comer un _____.

10 *Las tres comidas para hoy.* Our chef for today is *Carlos el Cocinero* (Charles the Cook). He has prepared three meals for us. Here they are. Can you describe in Spanish what they consist of? Write the Spanish names of the food items in each picture, choosing them from the menus given.

1. *El desayuno* (breakfast)

café   jugo de naranja   tocino (bacon)
cereal   (orange juice)   tostado con mantequilla (buttered
huevos fritos   leche   toast)

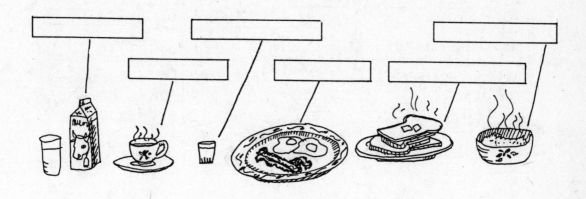

2. *El almuerzo* (lunch)

helado   mostaza (mustard)   sandwich
jamón (ham)   naranja   soda
lechuga (lettuce)   papas fritas   tomate (tomato)
manzana (apple)   queso (cheese)

187

3. *La cena* (supper)

arroz (rice)   pollo   sopa (soup)
frijoles (beans) pudín de chocolate vegetales (vegetables)
mantequilla   pure de papas   vino
pan (bread)

CONVERSACIÓN

la camarera

la cliente

VOCABULARIO

la **bebida** beverage, drink
bien fría good and cold
Buenas noches Good evening
la **camarera** waitress
la **carne** meat

claro of course
la (el) **cliente** customer
la **ensalada** salad
por favor please

Repaso y Recreo Cuarto: *Lessons 13–16*

1 *Vocabulary*

el almuerzo
el bistec
la boca
el brazo
la cabeza
la cara
la cena
el corazón
el chocolate
el dedo
el desayuno
los dientes
el estómago
el helado
el huevo

el jamón
el jugo de naranja
los labios
la lechuga
la lengua
la lista de platos
la mano
la mantequilla
la manzana
la naranja
la nariz
el ojo
la oreja
el pan (tostado)
las papas fritas

el pelo
el pie
el pollo
el postre
el pudín
el puré de papas
el queso
la sopa
el tocino
el tomate
el tostado
la vainilla
el vaso
la vida
el vino

2 *Grammar*

1. tener, *to have*

yo **tengo**
tú **tienes**
Ud. ⎫
él ⎬ **tiene**
ella ⎭
nosotros(-as) **tenemos**
Uds. ⎫
ellos ⎬ **tienen**
ellas ⎭

EXPRESSIONS

tener hambre
tener sed
tener frío
tener calor

tener _____ **años**
tener que + *inf.*

2. TELLING TIME

¿Qué hora es?	What time is it?
Es la una.	It is one o'clock.
Son las dos.	It is two o'clock.
Son las dos y diez.	It is 2:10.
Son las dos y cuarto.	It is 2:15.
Son las dos y media.	It is 2:30.
Son las tres menos veinte.	It is 2:40.
Es mediodía.	It is 12 noon.
Es medianoche.	It is 12 midnight.

Son las seis de la mañana.   It is 6 A.M.
Son las cuatro de la tarde.   It is 4 P.M.
Son las ocho de la noche.   It is 8 P.M.
¿A qué hora?   At what time?
a la una   at one o'clock
a las dos (tres)   at two (three) o'clock

3. POSSESSIVE ADJECTIVES

mi, mis	my
tu, tus	your (familiar)
su, sus	your (formal), his, her, their
nuestro, nuestra, }	
nuestros, nuestras }	our

4. EXPRESSING "TO LIKE" IN SPANISH

me gusta(n)	I like
te gusta(n)	you like (familiar)
le gusta(n)	you like (formal), he likes, she likes
nos gusta(n)	we like
les gusta(n)	you like (plural), they like

Actividades

A. *Buscapalabras*

B	I	S	N	Ó	Z	A	R	O	C
E	E	I	P	D	C	I	N	C	O
A	S	B	R	O	A	S	E	I	S
A	D	T	L	S	B	A	C	O	B
U	E	D	Ó	S	E	O	O	R	D
G	D	B	C	M	Z	N	L	E	I
N	O	J	O	A	A	U	E	J	E
E	N	F	R	R	R	G	P	A	N
L	A	B	I	O	S	A	O	H	T
F	M	Z	Y	O	R	A	N	I	E

In this puzzle, you will find:

(1) sixteen parts of the body

_____   _____   _____   _____

_____   _____   _____   _____

_____   _____   _____   _____

_____   _____   _____   _____

(2) four numbers

_____   _____   _____   _____

B. Complete this conversation by using expressions chosen from the following list:

Un helado de chocolate.   Es muy tarde.
No me gusta la carne.   Gracias.
Un bistec con papas fritas, por favor.   Un vaso de vino.

Aquí tiene Ud. la lista de platos.   _____ _____ _____

¿Qué desea Ud.?   _____ _____ _____

¿Qué bebida va a tomar?   _____ _____ _____

¿Y para el postre?   _____ _____ _____

192

C. Pepe works in a restaurant called *El Bohío* (The Shack). Here's a list of all the food and drink served in the restaurant:

agua mineral
arroz con pollo
bistec
café
coctel de frutas
chuletas de puerco (pork chops)
ensalada de lechuga y tomate
hamburguesa con queso
helado de vainilla o de chocolate
huevos fritos con jamón
jugo de naranja o de tomate

leche fría
pollo frito
pudín de pan
rosbif
sardinas
sodas variadas
sopa de pollo
sopa de verduras (vegetable soup)
té
vino

Pepe's boss wants him to make up a proper menu, that is, a card like the following in which all these items are listed in their "slots." Can you help him?

Restaurante "El Bohío"
LISTA DE PLATOS

SOPAS Y APERITIVOS
_____
_____
_____
_____
_____

POSTRES
_____
_____
_____

PLATOS PRINCIPALES
_____
_____
_____
_____
_____
_____

BEBIDAS
_____
_____
_____
_____
_____

*   *   *   *   *   *   *

D.

Pepe is preparing a meal in the restaurant. The guests will arrive soon. Notice what he has placed on the table. He thinks he has forgotten a few things. Can you help him? Here's his check list:

	Sí	No			Sí	No
1. los huevos				11. el jamón		
2. las sardinas				12. la sal (salt)		
3. el helado				13. el azúcar		
4. la sopa				14. la mantequilla		
5. las naranjas				15. el pan		
6. la ensalada				16. el vino		
7. el cuchillo (knife)				17. las manzanas		
8. el queso				18. frutas frescas		
9. un vaso				19. bistec		
10. el pollo				20. hamburguesas		

E. *Información personal.* Your friends are taking you out to a restaurant to celebrate a special occasion. It's their treat! You can order anything you want—and you're really hungry! Make a list of all the things you would order (in Spanish, of course).

_____   _____

_____   _____

_____   _____

PICTURE STORY

Nuestra vida moderna

Los dicen que el moderno necesita más ejercicio. (La

moderna también.) Muchas personas no usan las partes diferentes de

su . Usan las y los sólo para ,

no para trabajar. No usan los para ir de un lugar a otro. Toman

un , el o el . Nos gusta

y mucho a las o a las

de la noche.

Vivimos en apartamentos pequeños y calientes. Los sábados y los

domingos no corremos en el ; no trabajamos en la .

Muchas personas pasan todo el día en la y miran la .

195

17 | How to Tell Where Things Are: Common Spanish Prepositions

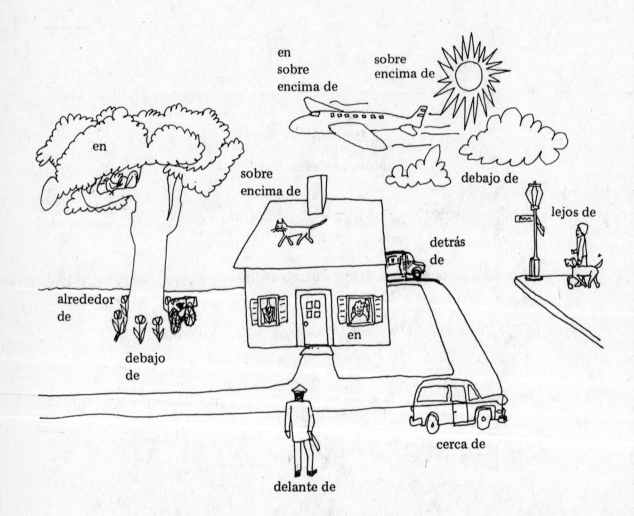

en
sobre
encima de

sobre
encima de

en

sobre
encima de

debajo de

lejos de

detrás
de

alrededor
de

debajo
de

en

cerca de

delante de

¿Dónde está todo el mundo?

Aquí vemos la calle donde vive la familia Sánchez. Es una calle bonita de casas pequeñas, jardines, árboles y flores. Al lado de la casa de los Sánchez hay un árbol grande. En el árbol hay dos pájaros. Alrededor del árbol hay unas flores. Son rosas rojas. Debajo del árbol hay una bicicleta. Es la bicicleta de Lupita, la hija de doce años. La mamá está en la casa. Ella mira por la ventana. Cerca de la casa hay un automóvil. Es el coche del señor Sáchez. Detrás de la casa hay otra calle. En la calle hay un autobús. En el aire hay un avión.

El avión está encima de la casa de los Sánchez ahora. También en el cielo hay el sol y dos nubes. El sol está sobre las nubes. Las nubes están debajo del sol. En la calle delante de la casa hay un policía. Lejos de la casa hay un perro. Hay otro animal aquí. ¿Sabe Ud. dónde está?

VOCABULARIO

aquí here	**¿dónde?** where?	**el sol** sun
el árbol tree	**el jardín** garden	**todo el mundo** everybody
el autobús bus	**la nube** cloud	**unos, unas** some, a few
el avión airplane	**el pájaro** bird	**la ventana** window
la calle street	**el policía** policeman	**en el techo** on the roof
el cielo sky		

PREPOSITIONS

al lado de beside	**en** in, on
alrededor de around	**encima de** above
cerca de near	**lejos de** far from
debajo de below	**por** through
delante de in front of	**sobre** above, on
detrás de behind	

Actividades

A. These *Preguntas* are based on the story you have just read.

1. ¿Dónde está el árbol?

   _____

2. ¿Qué hay en el árbol?

   _____

3. ¿Dónde está la bicicleta de Lupita?

   _____

4. ¿Qué hay alrededor del árbol?

   _____

5. El sol está _____ el cielo _____ las nubes.

6. ¿Qué hay cerca de la casa?

   _____

7. ¿Qué hay lejos de la casa?

   _____

8. ¿Quién está delante de la casa?

   _____

197

9. ¿Qué hay detrás de la casa?

_____

10. ¿Dónde está el avión ahora?

_____

11. ¿Qué otro animal hay aquí? ¿Dónde está?

_____

B. *¿Dónde estoy yo?*

1. Yo estoy cerca de la mesa.

   Yo estoy al lado de la mesa.

2. Yo estoy_____ _____
      la mesa.

3. Yo estoy_____ _____
      la mesa.

4. Yo estoy_____ _____
      la mesa.

5. Yo estoy _____ de la mesa.

   Yo estoy_____ _____
      la mesa.

6. Yo estoy_____ _____
      la mesa.

198

C. ¿Dónde está todo el mundo ahora? Here we have the Sánchez house again, but things are a little different now. Can you tell where everything is?

PREGUNTAS

1. ¿Dónde está el árbol?

   _____

2. ¿Qué hay en el árbol?

   _____

3. ¿Dónde está la bicicleta de Lupita?

   _____

4. ¿Dónde están las flores?

   _____

5. El sol está _____ el cielo _____ las nubes.

6. ¿Qué hay cerca del árbol?

   _____

7. ¿Qué hay lejos de la casa?

   _____

8. ¿Quién está delante de la casa?

   _____

9. ¿Dónde está el avión ahora?

   _____

10. ¿Dónde está el perro ahora?

   _____

11. ¿Quién está detrás de la casa?

   _____

12. ¿Dónde están los pájaros?

   _____

D. Complete this conversation by using expressions chosen from the following list:

No; mi casa está en la próxima calle.   Está en la avenida Colón.
Hay muchos árboles.   Hay muchas flores alrededor.
No tengo bicicleta.   Por la noche, hay pocos.

una señorita

¿Dónde está la casa?

¿Vive Ud. en la misma calle?

¿Qué hay detrás de la casa?

¿Pasan los autobuses con frecuencia?

el investigador

E. *Información personal.* You have been asked to supply some information about your house or apartment building.

1. Mi casa está en la calle (la avenida) _____.

2. Hay tiendas _____ de la casa.

3. La escuela está _____ de mi casa.

4. En la casa hay _____ habitaciones.

5. El autobús pasa _____   _____ la casa.

veinte dólares

treinta días

cuarenta centavos

cincuenta millas por hora

sesenta minutos

setenta kilómetros

ochenta grados

noventa años

cien libras

1   Here are the numbers from 1 to 100, counting by tens. Repeat them aloud after your teacher:

10	**diez**	60	**sesenta**
20	**veinte**	70	**setenta**
30	**treinta**	80	**ochenta**
40	**cuarenta**	90	**noventa**
50	**cincuenta**	100	**ciento** (**cien** before a noun)

By the way: Do you remember the Spanish words for numbers 1 to 20? It may be a good idea to review them in lesson 6 before proceeding with this lesson.

203

2 All right, now that you know the Spanish words for the numbers 20 to 100 by tens, it's fairly simple to fill in all the missing numbers. All you do is put the word **y** (*and*) after the number and then add a number from 1 to 9. For example:

21	veinte y uno	45	cuarenta y cinco
29	veinte y nueve	56	cincuenta y seis
33	treinta y tres	68	sesenta y ocho

Actividades

A. Read the following numbers aloud and write the correct numeral in the blank on the right.

EXAMPLE: diez y siete   *17*

1. veinte y cinco _____

2. noventa y ocho _____

3. ochenta y tres _____

4. cuarenta y dos _____

5. cincuenta y uno _____

6. treinta y cuatro _____

7. sesenta y seis _____

8. quince _____

9. setenta y nueve _____

10. diez y ocho _____

B. Match the list of numbers on the left with the numerals on the right.

_____ 1. setenta y seis   13

_____ 2. sesenta y siete   67

_____ 3. ciento   76

_____ 4. once   88

_____ 5. cincuenta y dos   91

_____ 6. treinta y tres   52

_____ 7. trece   45

_____ 8. ochenta y ocho   33

_____ 9. cuarenta y cinco   100

_____ 10. noventa y uno   11

C. Arrange the following numbers so that they are listed in order: the smallest first, the largest last.

noventa	treinta y cuatro
quince	diez y nueve
uno	veinte y dos
nueve	setenta
sesenta	ciento

1. _____   2. _____

3. _____   4. _____

5. _____   6. _____

7. _____   8. _____

9. _____   10. _____

D. As you have probably noticed, certain numbers look like others. They almost come in little families. Write the Spanish words for the numbers in each group:

1. *a.* 1 _____   2. *a.* 2 _____

   b. 11 _____   *b.* 12 _____

3. *a.* 3 _____   4. *a.* 4 _____

   b. 13 _____   *b.* 14 _____

   c. 30 _____   *c.* 40 _____

5. *a.* 5 _____   6. *a.* 6 _____

   b. 15 _____   *b.* 16 _____

   c. 50 _____   *c.* 60 _____

7. *a.* 7 _____   8. *a.* 8 _____

   b. 17 _____   *b.* 18 _____

   c. 70 _____   *c.* 80 _____

9. *a.* 9 _____

   b. 19 _____

   c. 90 _____

E. Here we go again—more arithmetic in Spanish. Write your answers in Spanish words.

When you read these problems aloud, use Spanish arithmetic expressions:

+ plus	**y**	÷ divided by	**dividido por**
− minus	**menos**	= equals, is, are	**son**
× times	**por**		

EXAMPLES:

$2 + 2 = 4$	Dos y dos son cuatro.
$5 - 2 = 3$	Cinco menos dos son tres.
$4 \times 3 = 12$	Cuatro por tres son doce.
$12 \div 2 = 6$	Doce dividido por dos son seis.

Add:

1. veinte
   + treinta

2. cuarenta
   + sesenta

3. ochenta
   + diez

Subtract:

4. quince
   − cinco

5. doce
   − once

6. catorce
   − uno

Multiply:

7. cinco
   × cuatro

8. once
   × ocho

9. treinta
   × tres

Divide:

10. ochenta
    ÷ cuatro

11. diez y seis
    ÷ dos

12. veinte y cinco
    ÷ cinco

3 Here's a conversation that was heard at an auction. Auctions can be fun, but be careful!

Personas: el vendedor
el señor Pedro Blas
la señora Ángela de Blas
primer comprador
segundo comprador
Matilda, la amiga de Ángela

VENDEDOR: Y ahora, señores y señoritas, una oportunidad excepcional—la pintura famosa del célebre artista Manuel Malí: "el caballo que come queso en cama."

TODO EL MUNDO: ¡A a a a h!

PEDRO: ¡Es horrible!

ÁNGELA: ¡Es monstruoso!

VENDEDOR: Bueno, ¿cuánto ofrecen Uds. por esta cosa extraordinaria? ¿Quién me da cincuenta dólares?

PRIMER COMPRADOR: Cincuenta dólares.

SEGUNDO COMPRADOR: Sesenta dólares.

PEDRO: ¡Están locos!

ÁNGELA: Yo no pago cinco centavos por esa pintura.

PEDRO: No es pintura. Es basura.

PRIMER COMPRADOR: Setenta dólares.

SEGUNDO COMPRADOR: Ochenta dólares.

PRIMER COMPRADOR: Noventa dólares.

VENDEDOR: Noventa una vez . . . Noventa la segunda vez . . . ¿No más? ¿No ofrecen cien dólares?

(*En este momento entra Matilda.*)

MATILDA: Ángela, Ángela . . . Hola.

(*Ángela levanta la mano para saludar a su amiga.*)

VENDEDOR: ¡Cien dólares! Para la señora de la blusa blanca. ¡Es de la mujer por cien dólares!

VOCABULARIO

la **basura** garbage	**ofrecer** to offer
el **caballo** horse	**pagar** to pay
la **cama** bed	la **pintura** painting
célebre famous	**por** for
el **centavo** cent, penny	la **segunda vez** second time
el **comprador** buyer	**una vez** once
monstruoso, -a monstrous	el **vendedor** seller, salesman
es de la mujer it's the woman's	
(belongs to the woman)	

Actividades

F. *Preguntas* (based on the conversation you have just read).

1. ¿Quién es el artista de la pintura?

_____

2. ¿Cuál es el título (title) de la pintura?

_____

3. ¿Cuál (What) es la opinión de Ángela y de Pedro sobre la pintura?

_____

4. ¿Cuántas personas desean la pintura?

_____

5. ¿Cuánto dinero paga Ángela por la pintura?

_____

G. Complete this conversation by using expressions chosen from the following list:

Es una de mis favoritas.   No es excepcional.
Es una pintura extraordinaria.   Cien dólares.
Es basura.   El amor y la inocencia.

H. *¿Por qué no llama María a la policía?* To find the answer, trace the picture by following the numbers in order of fives.

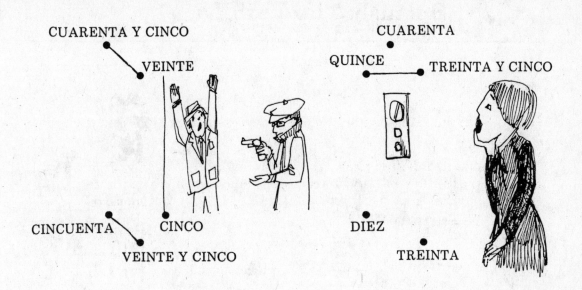

Respuesta: María _____.

I. *Información personal.* Some numbers are important in our lives. Write out *these* numbers in Spanish:

1. your age _____ años

2. number of people in your family _____ personas

3. number of students in your Spanish class _____ alumnos

4. mark you received on your last Spanish test _____ por ciento

5. amount of money you receive every week _____ dólares

6. your house number Vivo en la calle _____,

   número _____.

7. your telephone number Número _____.

Yo voy a la escuela.

Tú vas al teatro.

Ud. va al parque.

Él va a la casa.

Ella va al cine.

Nosotras vamos a la fiesta.

Uds. van al banco.

Ellos van a la tienda.

Ellas van también.

1 The verb **ir** means *to go*. It's an important verb. It's also very irregular. Repeat the forms of **ir** until you know them by heart:

yo	**voy**	I go
tú	**vas**	you go (familiar)
Ud.	**va**	you go (formal)
él	**va**	he goes
ella	**va**	she goes
nosotros } nosotras }	**vamos**	we go
Uds.	**van**	you go (plural)
ellos } ellas }	**van**	they go

Actividades

A. Read the sentences aloud and tell what they mean.

1. Nosotros vamos al parque mañana.

   _____

2. Yo voy al cine con mis hermanos.

   _____

3. ¿Vas tú a la fiesta también?

   _____

4. Ellos no van a la escuela aquí.

_____

5. Mis padres van a Costa Rica en junio.

_____

6. Carmen va al banco porque necesita dinero.

_____

7. ¿Van Uds. al aeropuerto el sábado?

_____

8. Yo no voy en coche.

_____

9. Vamos a Puerto Rico esta noche.

_____

10. Él no va en taxi.

_____

B. Complete the sentences with the correct forms of the verb *ir*; then tell what each sentence means.

1. Yo no _____ a la escuela mañana.

_____

2. Nosotros _____ al aeropuerto ahora.

_____

3. ¿ _____ Ud. a la fiesta?

_____

4. Pepe _____ al supermercado.

_____

5. Ella no _____ a Madrid.

_____

6. Tú _____ al cine esta tarde.

_____

7. ¿ _____ Uds. a California con su padre?

_____

8. Yo _____ a México con mis amigos.

_____

9. Ellos _____ en avión.

_____

10. ¿Adónde _____ tú el domingo?

_____

2 There are many ways to go places in Spanish. Here are some of them:

ir a pie	to walk (instead of ride), to go on foot
ir en bicicleta	to go by bicycle
ir en coche	to go by car, to drive
ir en automóvil	
ir en autobús	to go by bus
ir en tren	to go by train
ir en taxi	to go by taxi
ir en avión	to go by plane

Actividad

C. Here are nine pictures, labeled *a* to *i*, that show people "going places." The pictures are followed by nine sentences (on page 214) that can be used as captions for them. To the left of each sentence, write the letter of the picture that the sentence describes.

a

b

c

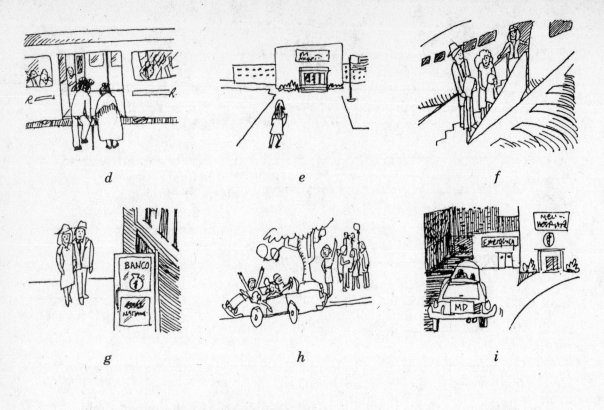

_____ 1. María va a la escuela a pie.

_____ 2. Nosotros vamos a la fiesta en coche.

_____ 3. Yo voy a mi trabajo en autobús.

_____ 4. Mis abuelos van en tren.

_____ 5. La familia López va a Puerto Rico en avión.

_____ 6. Pepe y Marta van al cine en taxi.

_____ 7. Mi hermano va a la tienda en bicicleta.

_____ 8. Mis padres van al banco a pie.

_____ 9. El médico va al hospital en automóvil.

3 As we have seen, **ir**, _to go_, is a very important verb. Here's another reason for its importance: It can be used with an infinitive to express what is _going to_ happen in the near future. For example:

> **Voy a leer** la lección mañana.
> Ellos **van a comprar** un automóvil.
> ¿**Vas a comer** en un restaurante?
> **Vamos a hablar** con el profesor.

Note: ¡**Vamos!** by itself means _Let's go!_

Actividades

D. Now let's make things happen in the future. Match the Spanish and English sentences.

_____ 1. Voy a mirar la televisión.

    a. You are going to receive a letter.

_____ 2. Ellos van a escuchar la radio.

    b. She is going to run to school.

_____ 3. ¿Vas a usar el coche?

    c. I am going to watch television.

_____ 4. Ella va a correr a la escuela.

    d. Are you going to use the car?

_____ 5. Uds. van a recibir una carta.

    e. They are going to listen to the radio.

E. Complete the sentences by using the expression *ir a,* "to be going to." Use the correct form of *ir* in each case.

1. Ellos _____ vivir en la ciudad.

2. Nosotros _____ dividir el número.

3. Mi padre _____ abrir el paquete.

4. Sus amigos _____ vender la casa.

5. Tú _____ trabajar mucho.

4 *Diálogo*

Vamos a Puerto Rico

Escena: La agencia de viajes "Solimar"

Personas: Francisco Cabral
        Marta Cabral, su esposa
        Margarita, una hija de 12 años.
        Susanita, una hija de 6 años
        el empleado de la agencia "Solimar"

EL EMPLEADO: ¡Ah, qué bueno! El señor Cabral y su familia amable. ¿Cómo están Uds.?

TODOS: Bien, gracias.

EL SR. CABRAL: Como sabe Ud., tengo dos semanas de vacaciones, y mi esposa desea ir a una isla tropical.

LA SRA. CABRAL: Sí, vamos a un lugar romántico, con palmeras, flores tropicales y brisas del mar.

EL EMPLEADO: Bueno, ¿por qué no van Uds. a Puerto Rico? Es una isla tropical. San Juan, la capital, es una ciudad grande y van a ver cosas interesantes allí.

EL SR. CABRAL: Es una buena idea. Puerto Rico tiene hoteles excelentes. Muchos hoteles están en la playa.

EL EMPLEADO: Sí. Y Puerto Rico no está lejos de los Estados Unidos. Si van Uds. en avión, van a llegar en dos horas y media.

MARGARITA: Yo voy a comprar mucha ropa allí. También voy a comprar discos de la música puertorriqueña.

SUSANITA: Y yo voy a comer la comida típica: tacos y enchiladas.

MARGARITA: ¿Tacos y enchiladas la comida típica de Puerto Rico? Tú no sabes mucho, chica. ¡Uf! ¡Qué ignorancia!

VOCABULARIO

la **agencia de viajes** travel agency	el **lugar** place
allí there	**llegar** to arrive
amable nice	el **mar** sea
la **brisa** breeze	**medio, -a** (a) half; **dos horas y media**
la **chica** girl, "kid"	2½ hours
el **empleado,** la **empleada** employee, clerk	la **palmera** palm tree
la **esposa** wife	**¡qué bueno!** how nice!
los **Estados Unidos** the United States	**tacos y enchiladas** two Mexican dishes
la **isla** island	**¡Uf!** Ugh!

Actividades

F. *Preguntas*

Complete the sentences.

1. "Solimar" es una agencia de _____.

2. Marta es la _____ de Francisco.

3. Susanita y Margarita son dos _____.

4. El señor Cabral tiene dos semanas de _____.

5. La señora de Cabral desea ir a una _____ tropical.

6. La _____ es un árbol tropical.

7. La capital de Puerto Rico es _____.

216

8. Muchos hoteles de Puerto Rico están en _____.

9. Puerto Rico no está _____ los Estados Unidos.

10. La familia va en _____.

G. Complete this conversation by using expressions chosen from the following list:

Muy bien, gracias.   ¿Es un lugar romántico?
Deseamos ir a una isla tropical.   ¡Vamos mañana!
Es una buena idea.   Tenemos cuatro semanas.

¿En qué puedo servirles?

_____
_____
_____

¿Cuánto tiempo tienen de vacaciones?

_____
_____
_____

¿Por qué no van a Puerto Rico?

_____
_____

la empleada

los clientes

En avión, van a llegar en dos horas y media.

_____
_____
_____

H. *Información personal.* During the week you go to many places. Write about five places that you go to in a typical week.

EXAMPLE: El sábado voy al cine.

1. _____

2. _____

3. _____

4. _____

5. _____

Yo quiero una manzana.

Tú quieres un pan.

Ud. quiere queso.

Él quiere un vaso de leche.

Ella quiere una docena de huevos.

Nosotros queremos jugo de naranja.

Uds. quieren el arroz.

Ellos quieren helado de chocolate.

Ellas quieren leer.

1 **Querer** is an irregular **-er** verb. The endings are regular but an **i** is inserted in all forms except that for **nosotros**. Here are the forms of **querer**. Repeat them after your teacher:

yo	**quiero**	I want
tú	**quieres**	you want (familiar)
Ud.	**quiere**	you want (formal)
él	**quiere**	he wants
ella	**quiere**	she wants
nosotros } nosotras }	**queremos**	we want
Uds.	**quieren**	you want (plural)
ellos } ellas }	**quieren**	they want

Actividades

A. Read the sentences aloud and tell what they mean.

1. Yo no quiero ir a la escuela hoy.

_____

2. Tú quieres muchas cosas imposibles.

_____

3. Él quiere una soda fría.

_____

4. Susanita quiere comer tacos y enchiladas.

_____

5. ¿Quiere Ud. helado de vainilla o de chocolate?

_____

6. Nosotros queremos frutas frescas.

_____

7. ¿Quieren Uds. ir al cine con mis amigos?

_____

8. Mis padres quieren hablar con el profesor.

_____

9. Yo quiero comprar las cosas en el supermercado.

_____

10. ¿Quieres tú bailar con Luisa?

_____

B. Complete each sentence with a form of the verb *querer* and the Spanish name for the object shown in the picture.

1. Tú _____ un _____ .

2. Él _____ una _____ .

3. Ud. _____ un _____ .

4. Ella _____ una _____ de

_____ .

221

5. Nosotros _____ un _____.

6. Yo _____ un _____.

7. Uds. _____ un _____.

8. Ellos _____ un _____.

9. María _____ un _____.

10. Mis abuelos _____ una _____.

C. *El supermercado.* Study this picture, then see if you can answer the questions that follow.

PREGUNTAS

1. ¿Qué frutas hay? _____

2. ¿En qué sección está el pollo? _____

3. ¿Qué legumbres hay? _____

4. ¿Dónde están los huevos? _____

5. ¿Qué clases (kinds) de carne hay? _____

6. ¿Dónde está el pan? _____

7. ¿Cuántos cartones de leche hay? _____

8. ¿Qué otra cosa hay en cartones? _____

9. ¿En qué sección están los tomates? _____

2 **¿Qué es un supermercado**? Muchos dicen que un supermercado es un mercado grande. Es verdad, pero es mucho más. Un supermercado es como un grupo de tiendas. Cada sección es otra tienda. Por ejemplo, la sección de frutas y de legumbres es como una frutería. La sección de carne es como una carnicería. La sección de pan es como una panadería. Y la sección donde hay leche, crema, queso, helados y mantequilla es como una lechería. En las otras secciones hay latas de comestibles. ¡En los supermercados grandes, venden también libros, discos y ropa! En el futuro, ¿van a trabajar médicos, abogados y barberos en un supermercado? ¿Quién sabe?

VOCABULARIO

el **abogado,** la **abogada** lawyer	la **lata** (tin) can
la **carne** meat	la **lechería** dairy
la **carnicería** butcher shop	la **legumbre** vegetable
los **comestibles** groceries	el **mercado** market
la **crema** cream	la **panadería** bakery
dicen (they) say	**por ejemplo** for example
la **frutería** fruit store	la **tienda** store
el **grupo** group	la **tienda de comestibles** grocery store

Actividades

D. Complete the sentences.

1. El supermercado es como un _____ de _____.

2. En un supermercado hay muchas _____.

3. En una frutería venden _____ y _____.

4. En una carnicería venden _____.

5. Venden pan en una _____.

6. El queso y la mantequilla son productos de la _____.

7. Venden el azúcar en una tienda de _____.

8. En los supermercados grandes, venden _____ y

_____.

9. El hombre que corta (cuts) el pelo es un _____.

10. Un _____ trata (treats) a los enfermos.

E. What have we here? The manager of this supermarket forgot to label all the items. Can you do it for him? To help you, here are some of the items sold in the market:

bananas	huevos	limones	piñas
carne	jamón	maíz	pollo
cerezas	leche	manzanas	queso
helado	lechuga	papas	tomates

224

CONVERSACIÓN

VOCABULARIO

algo something, anything
el **cliente**, la **clienta** customer
¿cuánto? how much?
el (la) **dependiente** clerk
¿En qué puedo servirle?
   What can I do for you?

eso that
Está bien O.K., all right
el **litro** liter (*slightly more than a quart*)
el **pedazo** piece
todo all, everything

Repaso y Recreo Quinto: *Lessons 17–20*

1 *Vocabulary*

NOUNS

la **agencia de viajes**	la **carnicería**	la **nube**
el **avión**	el **cielo**	la **panadería**
el **azúcar**	la **isla**	la **playa**
la **brisa**	la **lata**	el **sol**
el **caballo**	la **lechería**	la **tienda**
la **calle**	la **legumbre**	la **vez**
la **cama**	el **mar**	
la **carne**	la **mayonesa**	

VERBS

ir   **levantar**   **ofrecer**   **querer**

PREPOSITIONS

			NUMBERS
alrededor de	**detrás de**	**para**	**veinte**
cerca de	**en**	**por**	**treinta**
debajo de	**encima de**	**sobre**	**cuarenta**
delante de	**lejos de**		**cincuenta**
			sesenta
			setenta
			ochenta
			noventa
			cien(to)

2 *Grammar*

ir, to go

yo	**voy**
tú	**vas**
Ud. / él / ella	**va**
nosotros(-as)	**vamos**
Uds. / ellos / ellas	**van**

querer, to want

yo	**quiero**
tú	**quieres**
Ud. / él / ella	**quiere**
nosotros(-as)	**queremos**
Uds. / ellos / ellas	**quieren**

Actividades

A. *Buscapalabras*

C	C	A	F	É	H	A	P	B	J
H	V	E	R	D	U	R	A	S	U
O	P	N	U	J	E	C	N	A	G
C	A	R	T	A	V	D	L	L	O
O	P	A	A	M	O	S	E	U	Q
L	A	C	S	Ó	S	E	C	F	P
A	S	G	H	N	I	J	H	L	O
T	M	T	O	M	A	T	E	S	L
E	N	É	O	Z	O	R	R	A	L
S	O	P	A	H	E	L	A	D	O

In this puzzle, can you find 18 Spanish words that refer to things that can be seen in a supermarket?

1. _____ 2. _____ 3. _____

4. _____ 5. _____ 6. _____

7. _____ 8. _____ 9. _____

10. _____ 11. _____ 12. _____

13. _____ 14. _____ 15. _____

16. _____ 17. _____ 18. _____

B. *Crucigrama del supermercado.* This puzzle contains the Spanish names for 15 food items. Do you know them? See the clues on the next page.

C. *El laberinto.* Every morning, Pedro leaves his house and walks to school, taking the shortest route. On his way, he passes many places. Trace with your pencil the shortest way to school, and on page 231 list the 15 places he passes.

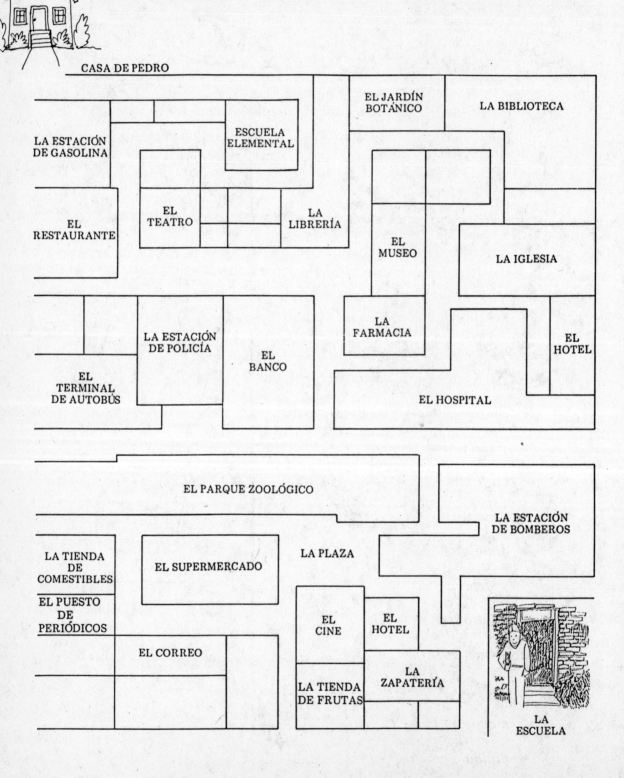

CASA DE PEDRO

EL JARDÍN BOTÁNICO

LA BIBLIOTECA

ESCUELA ELEMENTAL

LA ESTACIÓN DE GASOLINA

EL TEATRO

LA LIBRERÍA

EL MUSEO

LA IGLESIA

EL RESTAURANTE

LA FARMACIA

EL HOTEL

LA ESTACIÓN DE POLICÍA

EL BANCO

EL TERMINAL DE AUTOBÚS

EL HOSPITAL

EL PARQUE ZOOLÓGICO

LA ESTACIÓN DE BOMBEROS

LA TIENDA DE COMESTIBLES

EL SUPERMERCADO

LA PLAZA

EL PUESTO DE PERIÓDICOS

EL CINE

EL HOTEL

EL CORREO

LA TIENDA DE FRUTAS

LA ZAPATERÍA

LA ESCUELA

1. _____   2. _____   3. _____

4. _____   5. _____   6. _____

7. _____   8. _____   9. _____

10. _____   11. _____   12. _____

13. _____   14. _____   15. _____

D. *Números mágicos.* Here's a bit of "magic arithmetic" in Spanish.

(1) Choose one of these numbers: *uno, dos, tres, cuatro, cinco, seis, ocho, nueve, diez.*

Write it here: _____

y nueve: _____

multiplicado por dos: _____

menos cuatro: _____

dividido por dos: _____

menos tu número original: _____

            solución: ¡SIETE!

(2) Choose a number as in (1), above.

Write it here: _____

multiplicado por dos: _____

y cuatro: _____

dividido por dos: _____

y siete: _____

multiplicado por ocho: _____

menos doce: _____

dividido por cuatro: _____

menos quince: _____

dividido por dos: _____

          solución: ¡el número original!

E. *Las diez diferencias.* These two pictures may look alike at first glance, but there are ten differences. Can you spot them? Describe them by completing the sentences on page 233.

Las Diferencias

1. A través de (Across) la calle

   hay una _____.

2. La persona que sale de la

   panadería es una _____

   _____.

3. La puerta tiene el número

   _____.

4. Hay un _____ en

   la calle.

5. Un muchacho _____

   por la calle.

6. La puerta está _____.

7. El hombre no lleva _____

8. No hay _____ en

   el escaparate (display window)

   de la panadería.

9. El animal es un _____.

10. La puerta de la carnicería no

    tiene una _____.

A través de la calle hay una

_____.

La persona que sale es una

_____.

La puerta tiene el número

_____.

Hay dos _____

en la calle.

Un muchacho _____

en la calle.

La puerta está _____.

El hombre lleva _____

en la cabeza.

En el escaparate de la pana-

dería se ve (one sees) _____.

El animal es un _____.

La puerta de la lechería tiene una

_____.

F. Complete this conversation by using expressions chosen from the following list:

> Las frutas cuestan mucho.
> Sí, necesito un pan y dos litros de leche.
> No quiero el queso.
>
> Sí, ¿cuánto es?
> Buenas tardes. ¿Tiene Ud. carne fresca?
> Quiero un pollo.

G. *Información personal.* Your mother gives you fifty dollars and sends you to the supermarket for a supply of groceries that will feed the family for a week. Make a list in Spanish of *ten* things that you would buy.

1. _____ 2. _____

3. _____ 4. _____

5. _____ 6. _____

7. _____ 8. _____

9. _____ 10. _____

PICTURE STORY

Juanita va al supermercado

Cerca de la de la familia Sánchez hay un

moderno. Todos los sábados, Juanita va con su mamá para

las cosas necesarias que come la  . Las dos van al

 porque allí compran todas las cosas en una 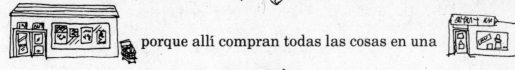 .

Primero van a la sección de  para comprar bistec, hamburgu-

esa y 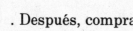 . Después, compran   y 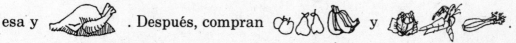 .

En la sección donde hay , compran , 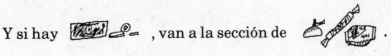 ,

 , y . También compran mucho 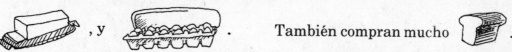 .

Y si hay , van a la sección de .

Yo llevo una camisa roja.

¿Lleva Ud. zapatos negros?

Pepe lleva una chaqueta grande.

Tú llevas pantalones cortos.

Mi papá lleva una corbata bonita.

María lleva una falda y una blusa.

Gloria lleva un vestido.

Ellos llevan guantes.

El profesor lleva un traje.

Yo llevo un abrigo.

Tengo el sombrero en la mano.

Mi abuela lleva un suéter.

Necesito un cinturón.

1 Here are some labels for the garments shown in the pictures on the next page.

el abrigo	la corbata	el suéter
la blusa	la falda	el traje
la camisa	los guantes	el vestido
el cinturón	los pantalones	los zapatos
la chaqueta	el sombrero	

Actividades

A. Write the correct label below each picture.

1. _____

2. _____

3. _____

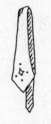

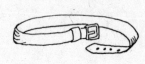

4. _____

5. _____

6. _____

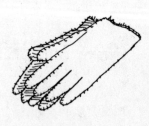

7. _____

8. _____

9. _____

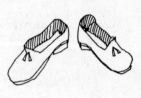

10. _____

11. _____

12. _____

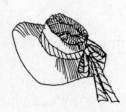

13. _____

14. _____

238

B. Match the Spanish names for the articles of clothing with their equivalents in English.

    ____ 1. los zapatos   *a.* the sweater

    ____ 2. la blusa   *b.* the dress

    ____ 3. la falda   *c.* the shirt

    ____ 4. el cinturón   *d.* the hat

    ____ 5. el vestido   *e.* the blouse

    ____ 6. el traje   *f.* the suit

    ____ 7. el suéter   *g.* the pants

    ____ 8. la camisa   *h.* the skirt

    ____ 9. la chaqueta   *i.* the jacket

    ____ 10. el abrigo   *j.* the belt

    ____ 11. el sombrero   *k.* the tie

    ____ 12. los pantalones   *l.* the gloves

    ____ 13. la corbata   *m.* the overcoat

    ____ 14. los guantes   *n.* the shoes

2 *Diálogo*

La fiesta de Teresita

ROSITA: Mira, mamá. Una invitación a la fiesta de cumpleaños de Teresita. Ahora necesito comprar ropa nueva.

LA MAMÁ: Pero, niña, tú tienes ropa bonita. No necesitas comprar nada.

ROSITA: No, mamá. Mi ropa es vieja. Y esta fiesta es muy importante. Todos los muchachos van a estar allí.

LA MAMÁ: Muy bien. Mañana vamos a la tienda de ropa para comprar unas cosas.

    (*Más tarde en la tienda de ropa.*)

VENDEDORA: Buenas tardes. ¿Qué desean Uds.?

LA MAMÁ: El sábado mi hija va a una fiesta, y queremos comprar ropa nueva para ella.

ROSITA: Sí, ropa moderna de última moda.

VENDEDORA: Bueno. ¿Le gusta esta mini-falda con esta blusa roja?

ROSITA: Sí, ¡perfecto! Y me gusta este par de guantes rojos y estos zapatos y ese sombrero, todos rojos.

LA MAMÁ: Ay, Rosa, tú vas a ser la chica más moderna de toda la fiesta.

(Más tarde en casa, Rosita habla con Teresita por teléfono.)

TERESITA: Sí, Rosa. Va a ser una fiesta fantástica. Todos vamos a llevar nuestra ropa vieja, como en tiempos pasados.

ROSITA: ¡Oh, no!

VOCABULARIO

la **blusa** blouse
el **cumpleaños** birthday; **fiesta de cumpleaños** birthday party
de última moda the latest style
ese, esa that
este, esta this; **estos, estas** these
la **falda** skirt
el **guante** glove

llevar to wear
nada nothing
el **par** pair
la **ropa** clothes, clothing
el **tiempo** time; **los tiempos pasados** the old days
va a ser it's going to be
el **zapato** shoe

Actividades

C. *Preguntas*

1. ¿Qué recibe Rosita?

_____

2. ¿Qué quiere comprar Rosita?

_____

3. ¿Por qué es importante la fiesta?

_____

4. ¿Dónde compra Rosita su ropa?

_____

5. ¿Cuándo es la fiesta?

_____

6. ¿Qué clase (kind) de ropa quiere Rosita?

_____

7. ¿De qué color es el sombrero que compra Rosita?

_____

8. ¿Con quién habla Rosita por teléfono?

_____

9. ¿Qué clase de ropa van a llevar en la fiesta?

_____

10. ¿Está contenta ahora Rosita?

_____

D. What a mess! Pancho has left his clothes scattered all over his room. Can you help find them? If you can, then complete the sentences below.

1. Uno de los zapatos de Pancho está <u>debajo de la cama.</u>

2. El otro zapato está _____.

3. El cinturón está _____.

4. El suéter está _____.

5. La chaqueta está _____.

6. El sombrero está _____.

7. Los pantalones están _____.

8. La corbata está _____.

9. Los guantes están _____.

10. La camisa está _____.

CONVERSACIÓN

VOCABULARIO

la **esposa** wife
el **esposo** husband
es tarde it's late
al lado de next to, beside

amorcito, mi amor, mi vida my darling,
  my love
¡Vámonos! Let's go!

242

E. Complete this conversation by using expressions chosen from the following list:

Sí, necesito la ropa antes del sábado.
Sí, mis zapatos son viejos.
No, gracias, mamá.
Vamos a llevar ropa moderna.

Quiero una falda roja y una blusa blanca.
Toda mi ropa es nueva.

Hija, ¿qué necesitas comprar para la fiesta?

_____
_____

Vamos a la tienda, entonces.

_____
_____

¿Quieres zapatos también?

_____
_____

¿Necesitas algo más?

_____
_____

F. *Información personal.* Your relatives have given you $150 as a birthday present. You need the money to buy new clothes. Make a list in Spanish of at least seven articles of clothing that you would buy.

1. _____   2. _____

3. _____   4. _____

5. _____   6. _____

7. _____

243

Talking About the Weather in Spanish; The Verb *Hacer*

¿Qué tiempo hace?

la primavera
Hace buen tiempo.

el verano
Hace calor.

el otoño
Hace fresco.

el invierno
Hace frío.

1 Before we start talking about the seasons and the weather, let's look at an interesting verb—**hacer,** *to do* or *to make:*

yo	**hago**	I do, I make
tú	**haces**	you do, you make (familiar)
Ud.	**hace**	you do, you make (formal)
él	**hace**	he does, he makes
ella	**hace**	she does, she makes
nosotros} nosotras}	**hacemos**	we do, we make
Uds.	**hacen**	you do, you make (plural)
ellos} ellas}	**hacen**	they do, they make

244

Actividad

A. Read these sentences aloud, then tell what they mean.

1. Yo hago el trabajo.

   _____

2. Nosotros hacemos muchas cosas en la escuela.

   _____

3. ¿Qué hacen Uds. en casa?

   _____

4. Mi hermana hace sus tareas (homework) todas las noches.

   _____

5. Ellos hacen una lista de frutas.

   _____

6. ¿Qué hace un carpintero?

   _____

7. ¿Qué haces tú ahora?

   _____

8. María y Carmen hacen mucho ruido (noise).

   _____

9. Yo no quiero hacer nada.

   _____

10. En una panadería hacen el pan.

   _____

2 They were easy, weren't they? Now let's look at something else. At the beginning of the lesson, did you notice how weather is expressed in Spanish?

¿Qué tiempo hace hoy?	How is the weather today?
Hace buen tiempo.	The weather is nice.
Hace calor.	It's warm.

Hace fresco.	It's cool.
Hace frío.	It's cold.

To these we can add a few more:

Hace mal tiempo.	The weather is bad.
Hace sol.	It's sunny.
Hace viento.	It's windy.

What do these expressions have in common? What word do they begin with? That's right: they all begin with **hace** ("it does" or "it makes").

There are two expressions that *do not* begin with **hace**:

Nieva.	It's snowing.
Llueve.	It's raining.

Actividad

B. *¿Qué tiempo hace?* Write an appropriate weather expression below each picture, choosing your captions from the following list:

Hace viento.	Hace fresco.	Llueve.
Hace sol.	Hace calor.	Hace buen tiempo.
Hace frío.	Nieva.	Hace mal tiempo.

1. _____

2. _____

3. _____

4. _____

5. _____

6. _____

7. _____

8. _____

9. _____

3 **Las estaciones del año.** El año tiene cuatro estaciones. Vamos a ver si Uds. reconocen (recognize) la estación por su (its) descripción.

1. Esta estación es muy bonita. Hace buen tiempo. Hay muchas flores en los parques. Todo está verde. Los pájaros cantan en los árboles. La gente no lleva mucha ropa. Durante esta estación, la fiesta más importante es la Pascua Florida. También hay el Día de San Patricio, el Día de las Madres y (¡cuidado!) el Día de los Tontos.

   Esta estación es _____.

2. Esta estación es la favorita de muchos niños porque hay largas vacaciones y no hay clases. Hace mucho calor y mucho sol. Los niños van a la playa

247

para nadar. Los días son largos y las noches cortas. Las fiestas importantes son el Día de la Independencia y el Día de los Padres.

Esta estación es _____.

3. En esta estación, los niños están tristes porque abren las escuelas y ellos regresan a las clases. Pero es una estación agradable. No hace ni mucho frío ni mucho calor; hace buen tiempo. Hay muchos días de fiesta: el Día del Trabajo, el Día de la Raza (el día del descubrimiento de América por Cristóbal Colón), la víspera de Todos los Santos y el Día de Acción de Gracias.

Esta estación es _____.

4. ¿Le gusta el frío? Durante esta estación, nieva y hace mucho frío. La gente lleva mucha ropa cuando salen de la casa. Las noches son largas y mucha gente cree que es una estación triste. Pero hay muchas fiestas populares. Hay la Navidad, el Año Nuevo, los cumpleaños de Jorge Wáshington y Abrahán Lincoln y el Día de San Valentín.

Esta estación es _____.

VOCABULARIO

abren they open
agradable pleasant, nice
el Año Nuevo New Year's Day
corto, -a short
cree believe
cuando when
¡cuidado! careful!
el cumpleaños birthday
el Día de Acción de Gracias
   Thanksgiving Day
el Día de la Raza Columbus Day
el Día de San Valentín St. Valentine's Day
el Día del Trabajo Labor Day
durante during
la estación season
la fiesta holiday, celebration

la gente people
hace mucho frío it's very cold
largo, -a long
¿le gusta . . . ? do you like . . . ?
la Navidad Christmas
ni . . . ni . . . neither . . . nor . . .
la Pascua Florida Easter
Patricio Patrick
regresan (they) return
salen de they leave
todo everything
tonto, -a fool
triste sad
vamos a ver let's see
la víspera de Todos los Santos
   Hallowe'en

Actividades

C. Complete the sentences.

1. El año tiene _____ estaciones.

2. Las estaciones son el _____, el _____, el

_____, y la _____.

3. La estación de las flores se llama _____.

248

4. Los muchachos no van a la escuela durante _____.

5. Los niños van a la _____ para nadar.

6. Abren las escuelas durante _____.

7. El día en que celebramos el descubrimiento de América se llama en

   español _____.

8. Nieva mucho en _____.

9. Recibimos regalos durante _____.

10. Expresamos nuestro amor el Día de _____.

D. Write the Spanish name of the season above each group of months.

1. _____
   marzo, abril, mayo

2. _____
   junio, julio, agosto

3. _____
   septiembre, octubre, noviembre

4. _____
   diciembre, enero, febrero

E. *Información personal.* Do you have a favorite season or time of year? Write a short paragraph in Spanish (about five or six sentences) telling us: (*a*) your favorite season; (*b*) the months that fall in that season; (*c*) the kind of weather one can usually expect; (*d*) the holidays that occur in that season; and (*e*) two things that you like to do during the season.

_____

_____

_____

_____

_____

_____

_____

F. Which holidays are suggested by these pictures? Write your answer below each picture, choosing it from the following list:

el Año Nuevo
el Cumpleaños de Wáshington
el Cumpleaños de Lincoln
el Día de Acción de Gracias
el Día de la Independencia
  (el cuatro de julio)
el Día de la Raza
el Día de las Madres

el Día de los Padres
el Día de los Tontos
el Día de San Patricio
el Día de San Valentín
la Navidad
la Pascua Florida
la víspera de Todos los Santos

1. _____

2. _____

3. _____

4. _____

5. _____

6. _____

7. _____ 8. _____

9. _____ 10. _____

11. _____ 12. _____

13. _____ 14. _____

CONVERSACIÓN

VOCABULARIO

a mí también me too   el salvavidas lifeguard
durante during   siempre always
entonces then   yo no sé nadar I don't know how to swim

252

G. Complete this conversation by using expressions chosen from the following list:

No muy bien. Por eso no nado lejos de la playa.
Claro. Siempre voy cuando hace sol.
Hace fresco pero no nieva.

¡Cuidado! Es una estación triste.
Sí, mucho, pero me gusta así.
Gracias. Ahora voy a nadar.

Animales domésticos

el perro

el gato

el perrito

el gatito

Animales del campo

la vaca

el toro

el pato

la gallina

el caballo

el cochino

Animales salvajes

el lobo   el zorro   el león

el tigre   el elefante   el mono

el pez   el ratón

1   **Los animales.** No estamos solos en este mundo. Vivimos con muchas clases de animales. Los animales más comunes son los animales domésticos como el perro y el gato. Son animales útiles. El gato vive con nosotros y come ratones. El perro es nuestro compañero y también da protección. Si vivimos en la ciudad, no tenemos la oportunidad de ver otros animales útiles. La vaca da leche, la gallina da huevos. La carne de la gallina se llama *pollo*, la carne de la vaca se llama (¡naturalmente!) *carne de vaca*, y la carne del cochino se llama *puerco*.

     Hay otros animales que viven libres o que están en el parque zoológico. Estos animales son los animales salvajes como el tigre, el león, el lobo y el zorro. El tigre y el león son de la familia del gato. El lobo y el zorro son de la familia del perro. ¿Tiene Ud. un lobo en casa? ¿No? ¿Un tigre, quizás? ¡Cuidado!

VOCABULARIO

el **caballo** horse	el **cochino** pig
la **carne** meat	el **compañero** companion
la **carne de vaca** beef	la **gallina** hen

el **gatito** kitten
el **huevo** egg
el **león** lion
libre free
el **lobo** wolf
muchas clases de many kinds of
el **mundo** world
el **parque zoológico** zoo
el **pato** duck
el **perrito** puppy

el **pez** fish (alive)
el **pollo** chicken
el **puerco** pig, pork
quizás perhaps, maybe
el **ratón** mouse
salvaje wild, savage
el **tigre** tiger
útil useful
la **vaca** cow
el **zorro** fox

Actividades

A. Complete the sentences.

1. En este mundo hay muchas _____ de animales.

2. _____ y _____ son dos animales domésticos.

3. El gato come _____.

4. El perro es el _____ del hombre.

5. La vaca da _____.

6. Los huevos son productos de _____.

7. La carne de la gallina se llama _____.

8. La carne de un cochino se llama _____.

9. El león es un animal _____.

10. El lobo, el zorro y el _____ son de la misma familia.

B. Now you know the Spanish names of some important animals. They are described below in Spanish. Can you identify them? Write the correct names in the blanks.

1. Yo soy un animal del campo. Como hierba. Soy grande y corro muy rápido. Muchos hombres me usan para la transportación.

   Soy _____.

2. Soy muy pequeño. Como carne. Mi papá es el mejor amigo del hombre. No me gustan los gatos.

   Soy _____.

3. Soy grande y estúpida. Vivo en el campo. Como hierba todo el día. Doy leche.

   Soy _____.

4. Soy un animal salvaje. Soy como un perro. Como carne. Cuando la gente me ve, todo el mundo corre para escapar.

    Soy _____.

5. Soy el animal más grande de África. No soy feroz. Como hierba. Tengo una nariz muy grande que uso como una mano.

    Soy _____.

6. Vivo en las casas de la gente. También en las calles. No me gustan los perros. Como ratones.

    Soy _____.

7. Soy un animal de poca inteligencia. Soy acuático (vivo en el agua). Mi carne es muy buena para comer.

    Soy _____.

8. Vivo en el campo. Soy un ave (bird). Pongo (I lay) huevos. Como maíz.

    Soy _____.

9. Yo soy un animal muy gordo. Todo el mundo dice que soy sucio (dirty). De mi carne hacen muchas cosas.

    Soy _____.

10. Soy un animal inteligente. Vivo en los árboles. Estoy en el parque zoológico y también en el circo (circus).

    Soy _____.

2 Here's our final irregular verb—**decir,** *to say* or *to tell*:

yo	**digo**	I say, I tell
tú	**dices**	you say, you tell (familiar)
Ud.	**dice**	you say, you tell (formal)
él	**dice**	he says, he tells
ella	**dice**	she says, she tells
nosotros nosotras }	**decimos**	we say, we tell
Uds.	**dicen**	you say, you tell (plural)
ellos ellas }	**dicen**	they say, they tell

As we can see, the forms of **decir** do not follow the rule for regular **-ir** verbs that we learned in Lesson 10. The *endings* are regular but the **e** in **decir** changes to **i.** The only exception is the **nosotros** form, **decimos.**

Actividades

C. Read these sentences aloud and tell what they mean.

1. Yo siempre digo la verdad.

   _____

2. La radio dice que va a llover mañana.

   _____

3. ¿Dice usted que él no tiene dinero?

   _____

4. ¿Qué dicen sus padres?

   _____

5. Nosotros decimos que no queremos ir.

   _____

6. María dice que tenemos mucho tiempo.

   _____

7. ¿Por qué no dices que no sabes hablar inglés?

   _____

8. Pablo y sus amigos dicen al profesor que el examen es muy difícil.

   _____

9. Yo digo que hoy es lunes.

   _____

10. ¿Qué va a decir la profesora si no hacemos nuestra tarea (homework)?

    _____

D. Match the animals with the sounds they make.

_____ 1. El cochino dice . . .   *a.* muuu, muuu

_____ 2. El gato dice . . .   *b.* guau, guau, guau

_____ 3. El perro dice . . .   c. oinc, oinc, oinc

_____ 4. La gallina dice . . .   d. miau, miau

_____ 5. La vaca dice . . .   e. cua, cua

_____ 6. El pato dice . . .   f. cloc, cloc, cloc

_____ 7. El caballo dice . . .   g. jiii, jiii

E. Below each picture, write the names of the foods that come from the animal shown, choosing them from the following list:

el bistec (beefsteak)	el jamón	el puerco
la hamburguesa	la mantequilla	el queso
el helado	el pollo	el tocino (bacon)
los huevos		

_____   _____   _____

_____   _____   _____

_____   _____   _____

_____   _____   _____

_____   _____   _____

F. Make two lists of animals.

(1) Animales que comen carne   (2) Animales que comen hierba

1. _____   1. _____

2. _____   2. _____

3. _____   3. _____

4. _____   4. _____

5. _____   5. _____

CONVERSACIÓN

Néstor, ¿quieres vivir conmigo en la ciudad?

Yo no sé, Raúl. Me gusta vivir en el campo.

Pero en la ciudad hay mucha gente y muchas cosas que hacer.

Yo sé. Pero todos mis amigos viven aquí.

No importa. Hay más chicos en la ciudad.

Yo no quiero vivir sin mis amigos Ciclón y Caramelo.

Hombre, ¿quiénes son Ciclón y Caramelo?

Ciclón es mi caballo y Caramelo es mi perro.

VOCABULARIO

conmigo with me   **la gente** the people
el campo the country   **no importa** it doesn't matter
muchas cosas que hacer many things to do

G. Complete this conversation by using expressions chosen from the following list:

No. Vivimos en un apartamento pequeño.
Claro. Todos van a mi escuela.
Vamos al cine todos los sábados.
Hay mucho que hacer.
Tenemos una vaca y un caballo.
Vamos a la playa todos los días.

H. *Picture puzzle.* There are 10 animals hidden in this picture. Find them and list their Spanish names in the lines below the picture.

_____

_____

_____

_____

I. *La finca de Paco Pérez.* Can you label all the animals on Paco's farm?

J. *Información personal.* Animals share our world with us. Write the Spanish names for:

1. five animals you have seen in the zoo

   _____

2. two animals that live with people

   _____

3. five animals that can be found on a farm

   _____

El Mundo es Chico: Countries, Nationalities, and Languages

País	Nacionalidad	Lengua
Soy de **los Estados Unidos**.	Soy { norteamericano. norteamericana.	Hablo **inglés**.
Soy de **Inglaterra**.	Soy { inglés. inglesa.	Hablo **inglés**.
Soy **del Canadá**.	Soy canadiense.	Hablo **inglés y francés**.
Soy de **México**.	Soy { mexicano. mexicana.	Hablo **español**.
Soy de **España**.	Soy { español. española.	Hablo **español**.
Soy de **Puerto Rico**.	Soy { puertorriqueño. puertorriqueña.	Hablo **español**.
Soy de **Cuba**.	Soy { cubano. cubana.	Hablo **español**.
Soy de **Portugal**.	Soy { portugués. portuguesa.	Hablo **portugués**.
Soy **del Brasil**.	Soy { brasileño. brasileña.	Hablo **portugués**.
Soy de **Francia**.	Soy { francés. francesa.	Hablo **francés**.
Soy de **Haití**.	Soy { haitiano. haitiana.	Hablo **francés**.
Soy de **Italia**.	Soy { italiano. italiana.	Hablo **italiano**.
Soy de **Alemania**.	Soy { alemán. alemana.	Hablo **alemán**.
Soy de **Rusia**.	Soy { ruso. rusa.	Hablo **ruso**.
Soy de **China**.	Soy { chino. china.	Hablo **chino**.

1 *El mundo es chico*—it's a small world. Even so, it has many countries, and many languages are spoken in them.

Sometimes the names of the nationality and the language are the same or similar:

un chico **español** }
una chica **española** }   Hablan **español**.

Sometimes they are different:

un señor **norteamericano** }
una señora **norteamericana** }   Hablan **inglés**.

2 Now let's read something about our world, its countries, and its languages:

Nuestro mundo y sus lenguas

En nuestro mundo hay muchos países y lenguas. ¿Sabe Ud. que hay más de tres mil lenguas en el mundo?

En cada país hay generalmente una lengua oficial. Por ejemplo, en España, es el castellano o español; en Francia, es el francés; en Italia, es el italiano; en Alemania, es el alemán.

Pero muchos países tienen dos o más lenguas oficiales. En Suiza (Switzerland), por ejemplo, hablan alemán, italiano y francés. En el Canadá, las dos lenguas oficiales son el inglés y el francés. En los Estados Unidos, el español es la lengua semi-oficial del estado de Nuevo México. Allí hay periódicos, revistas, películas, programas de radio y de televisión todo en español.

Hay millones de personas en nuestro país que hablan español en su vida diaria (daily). Y el español es importante también porque es una lengua internacional. Hablan español en casi todos los países de Sudamérica y Centroamérica, y en tres países importantes del Caribe (Caribbean): Cuba, la República Dominicana y Puerto Rico.

En las Naciones Unidas, hay seis lenguas oficiales. ¿Sabe Ud. cuáles son? Bueno, aquí hay una lista de lenguas. Seis de ellas son las lenguas oficiales de las Naciones Unidas. *Pregunta*: ¿Cuáles son las seis?

el alemán	el chino	el francés	el italiano	el portugués
el árabe	el español	el inglés	el japonés	el ruso

La respuesta: Las seis lenguas oficiales de las Naciones Unidas son: el árabe, el chino, el español, el francés, el inglés y el ruso. Ahora ¿ve Ud. por qué el español es una lengua importante?

Actividades

A. *Preguntas*

1. ¿Cuántas lenguas hay en el mundo?

_____

2. Generalmente, ¿cuántas lenguas oficiales tiene cada país?

_____

3. ¿Cuáles son las lenguas oficiales de Suiza?

_____

4. ¿Cuáles son las lenguas oficiales del Canadá?

_____

5. ¿Cuáles son las dos lenguas más importantes en los Estados Unidos?

_____

6. ¿En qué otras partes del mundo hablan español?

_____

7. ¿Cuáles son las lenguas oficiales de las Naciones Unidas?

_____

8. ¿Por qué es importante la lengua española?

_____

B. Complete the sentences below the pictures, indicating the *country*, the *people*, and the *language spoken* in that country.

1. Estamos ahora en _____.

   Aquí viven los _____.

   Hablan _____.

2. Estamos ahora en _____.

   Aquí viven los _____.

   Hablan _____.

3. Estamos ahora en _____.

   Aquí viven los _____.

   Hablan _____.

4. Estamos ahora en _____.

   Aquí viven los _____.

   Hablan _____.

5. Estamos ahora en _____.

   Aquí viven los _____.

   Hablan _____.

6. Estamos ahora en _____.

   Aquí viven los _____.

   Hablan _____.

7. Estamos ahora en _____.

   Aquí viven los _____.

   Hablan _____.

8. Estamos ahora en _____.

   Aquí viven los _____.

   Hablan _____.

9. Estamos ahora en _____.

   Aquí viven los _____.

   Hablan _____.

10. Estamos ahora en _____.

    Aquí viven los _____.

    Hablan _____.

CONVERSACIÓN

Chico, ¿cómo se llama la organización de todos los países?

Eso es fácil. Se llama Las Naciones Unidas.

Muy bien. ¿Cuáles son las lenguas oficiales de Las Naciones Unidas?

Son el español, el inglés, el francés, el ruso, el chino y el árabe.

¡Fantástico! ¿Y sabe Ud. dónde está el edificio central de Las Naciones Unidas?

Claro. Está en la ciudad de Nueva York, en la calle 42.

¡Caramba! Ud. sabe mucho.

Yo sé. Mi padre es embajador.

VOCABULARIO

el **edificio** building
¡Caramba! Gosh! Wow!

las **Naciones Unidas** the United Nations
el **embajador** ambassador

C. Match the countries and their languages.

Países	Lenguas
_____ 1. la Argentina	a. el alemán
_____ 2. Cuba	b. el chino
_____ 3. el Canadá	c. el español
_____ 4. Australia	d. el francés
_____ 5. Francia	e. el inglés
_____ 6. Haití	f. el italiano
_____ 7. Puerto Rico	g. el portugués
_____ 8. el Brasil	h. el ruso
_____ 9. la República Dominicana	
_____ 10. España	
_____ 11. Portugal	
_____ 12. Alemania	
_____ 13. Rusia	
_____ 14. China	
_____ 15. el Ecuador	
_____ 16. Inglaterra	
_____ 17. México	
_____ 18. Chile	

D. Complete this conversation by using expressions chosen from the following list:

Son los Estados Unidos.
Está en la ciudad de Nueva York.
Hay seis.
Claro. Hablo inglés y español.
No hablo francés.
Se llama las Naciones Unidas.

¿Cómo se llama la organización de todos los países del mundo?

¿Cuántas lenguas oficiales tiene?

¿Habla Ud. una de las lenguas?

¿Dónde está el edificio central de la organización?

E. *Información personal.* You have just won a free trip to *anywhere* in the world. Congratulations! List in order of preference the *five* countries you would most like to visit and the language(s) spoken in each country. *¡Buen viaje!*

Países	*Lenguas*
1. _____	_____
2. _____	_____
3. _____	_____
4. _____	_____
5. _____	_____

Repaso y Recreo Sexto: *Lessons 21–24*

NOUNS

el **abrigo**	la **gallina**	el **perrito**
Alemania	el **gatito**	el **perro**
la **blusa**	el **gato**	el **pez**
el **caballo**	la **gente**	el **pollo**
la **camisa**	los **guantes**	la **primavera**
el **campo**	**Inglaterra**	el **puerco**
la **carne**	el **invierno**	el **ratón**
el **cinturón**	**Italia**	la **ropa**
el **cochino**	el **león**	el **sombrero**
la **corbata**	el **lobo**	el **suéter**
el **cumpleaños**	el **mono**	**Suiza**
la **chaqueta**	**nada**	el **tigre**
el **elefante**	la **Navidad**	el **toro**
la **estación**	el **otoño**	el **traje**
los **Estados Unidos**	los **pantalones**	la **vaca**
la **falda**	el **par**	el **verano**
la **fiesta**	la **Pascua Florida**	el **vestido**
Francia	el **pato**	los **zapatos**

ADJECTIVES

agradable	**largo, -a**	**este, esta**	**ese, esa**
corto, -a	**mucho, -a**	**estos, estas**	**esos, esas**

Adjectives of Nationality

alemán	**español**	**mexicano**
alemana	**española**	**mexicana**
brasileño	**francés**	**norteamericano**
brasileña	**francesa**	**norteamericana**
canadiense	**inglés**	**puertorriqueño**
	inglesa	**puertorriqueña**
cubano		
cubana	**italiano**	**ruso**
	italiana	**rusa**
chino		
china		

EXPRESSIONS

al lado de	día de fiesta	¡vamos!
debajo de	hablar por teléfono	¡vámonos!
encima de	no importa	

Weather Expressions

¿Qué tiempo hace?	Hace (mucho) calor.	Hace sol.
Hace buen tiempo.	Hace (mucho) frío.	Hace viento.
Hace mal tiempo.	Hace fresco.	Nieva.
		Llueve.

VERBS

llevar   nadar   necesitar

Irregular Verbs

hacer		*decir*	
yo	hago	yo	digo
tú	haces	tú	dices
Ud. \ él } hace \ ella /		Ud. \ él } dice \ ella /	
nosotros \ nosotras } hacemos		nosotros \ nosotras } decimos	
Uds. \ ellos } hacen \ ellas /		Uds. \ ellos } dicen \ ellas /	

Actividades

A. *¿Qué tiempo hace?* Underline the correct caption for each picture. *Note:* Some pictures have more than one correct caption.

1. Hace fresco.
   Hace frío.
   Hace buen tiempo.

2. Hace sol.
   Hace calor.
   Hace buen tiempo.

3. Hace mal tiempo.
   Llueve.
   Hace sol.

4. Nieva.
   Hace calor.
   Hace frío.

5. Llueve.
   Hace buen tiempo.
   Hace mucho frío.

6. Hace calor.
   Hace mucho calor.
   Hace fresco.

7. Hace fresco.
   Hace mucho frío.
   Llueve.

8. Hace mucho calor.
   Hace frío.
   Hace fresco.

9. Hace mal tiempo.
   Hace mucho frío.
   Hace fresco.

B. *Crucigrama de animales*

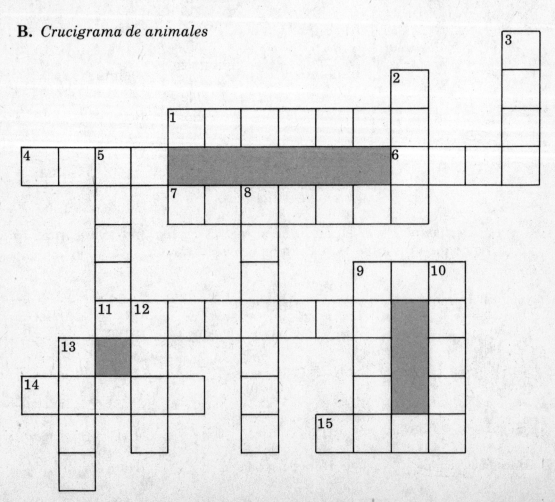

274

There are 15 animals in the puzzle on page 274. Here they are. Do you know their Spanish names?

Across

Down

1.

4.

2.

3.

6.

7.

5.

8.

9.

11.

9.

10.

14.

15.

12.

13.

D. *Buscapalabras*

Z	P	N	Ó	R	U	T	N	I	C
F	A	L	D	A	V	A	C	A	H
S	N	P	C	O	R	B	A	T	A
U	T	T	A	B	L	U	S	A	Q
É	A	R	M	T	O	T	A	P	U
T	L	A	I	A	O	H	P	E	E
E	O	J	S	B	C	S	O	F	T
R	N	E	A	O	G	I	R	B	A
V	E	S	T	I	D	O	P	E	Z
D	S	O	M	B	R	E	R	O	G

Find 13 articles of clothing . . .

1. _____   2. _____   3. _____

4. _____   5. _____   6. _____

7. _____   8. _____   9. _____

10. _____ 11. _____ 12. _____

13. _____

. . . and two animals:

14. _____ 15. _____

276

E. Juan is an export manager at Baez and Company. He is sending catalogues to several important customers. The company prints its catalogues in different languages. Here's a list of Juan's customers and the countries they live in. Each of them will receive a catalogue, but in which language? Help Juan complete the list.

BAEZ Y COMPAÑÍA
EXPORTACIÓN DE VINOS ESPAÑOLES

Cliente	País	Lengua
1. Helmut Kraus	Alemania	_____
2. François La Mer	Francia	_____
3. Rick Jackson	Estados Unidos	_____
4. Antonio Bollo	Italia	_____
5. M. Pérez	Colombia	_____
6. Magalie Joseph	Haití	_____
7. Carlos Rivera	Puerto Rico	_____
8. João Dias	Brasil	_____
9. David Cantrell	Inglaterra	_____
10. R. Fong	Taiwán	_____

F. *Anuncio comercial* (Advertisement)

TIENDA DE ROPA "EL DUQUE"
ABIERTA TODOS LOS DÍAS
Calle Bolívar—teléfono 465-3219
Ropa a precios bajos
¿Por qué paga más?

Venta especial de verano

Pantalones $10 Originalmente $20	Blusas para señoritas 2 por $15
Camisas 100% algodón En gran variedad de colores	Chaquetas de mujer Todos los estilos
Zapatos para niños Importados de Italia Límite: dos pares	Trajes elegantes ahora $95 100% lana
Faldas para jovencitas Gran selección	Antes $20 Ahora $10 Suéteres para hombres

After you've read the above *anuncio*, answer the following questions in English:

1. What kind of clothing (men's, women's, etc.) is sold in this store?

_____

2. What kind of sale (*venta*) is being held now?

_____

3. Where do the shoes come from?

_____

278

4. What are the suits made of?

   _____

5. What are the shirts made of?

   _____

6. What choice of colors is there in men's shirts?

   _____

7. How much money would be saved on a pair of men's pants?

   _____

8. Are the sweaters for men?

   _____

9. How many pairs of shoes can one purchase?

   _____

10. Is the store open on Sundays?

   _____

PICTURE STORY

El tiempo y la ropa

En muchos países del [globo], hay cuatro estaciones: la [primavera], el [verano], el [otoño] y el [invierno]. La [ropa] que usamos depende de la estación. Cuando hace [frío], usamos un [abrigo], un [suéter] o una [chaqueta]. Cuando hace [calor], no usamos mucha ropa. Las [muchachas] llevan una [blusa] y los [muchachos] llevan una [camisa]. En muchos países tropicales como en las [islas] del Caribe, nunca hace [frío]; siempre hay [sol]. Hay [flores] tropicales [palmeras], y brisas del [mar]. Las [playas] son magníficas y la gente va a nadar en sus trajes de [baño]. ¡Vamos a tomar el próximo [avión] para ir a una [isla] tropical!

Achievement Test 2: Lessons 13-24

A. Vocabulary (15 points)

Label the following pictures in Spanish:

1. _____ 2. _____ 3. _____

4. _____ 5. _____ 6. _____

 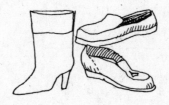 

7. _____ 8. _____ 9. _____

10. _____ 11. _____ 12. _____

281

13. _____   14. _____   15. _____

B. Irregular verbs and _gustar_ (20 points); _lessons 13, 16, 17, 19, 20, 22, 23._

Complete the sentences.

1. tener: Yo _____ hambre.

2. tener: ¿_____ ustedes frío?

3. tener: La mano _____ cinco dedos.

4. ir: María _____ a la escuela.

5. ir: Nosotros _____ al cine los domingos.

6. ir: Yo _____ a leer el libro mañana.

7. querer: Tú _____ muchas cosas imposibles.

8. querer: Mis padres _____ hablar con la profesora.

9. querer: Yo no _____ comer ahora.

10. hacer: _____ mucho calor en los trópicos.

11. hacer: Nuestra madre _____ mucho trabajo en casa.

12. hacer: Yo _____ mi trabajo en la escuela.

13. decir: Yo siempre _____ la verdad.

14. decir: La radio _____ que va a llover.

15. decir: Nosotros _____ que hoy es lunes.

16. haber (hay): ¿Qué _____ cerca de la escuela?

17. gustar: Me _____ el cine.

18. gustar: ¿No te _____ las flores?

19. gustar: Nos _____ mucho la comida mexicana.

20. gustar: A María no le _____ bailar.

C. Telling time (10 points); *lesson 14.*

¿Qué hora es?

1. Es la _____.

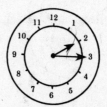

2. Son las _____ y

_____.

3. Son las _____ y

_____.

4. Son las _____ menos

_____.

5. Es _____.

6. Son las _____ y

_____.

283

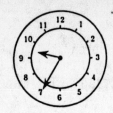

7. Son las _____ menos

_____.

8. Son las _____ menos

_____.

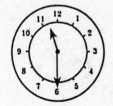

9. Son las _____ y

_____.

10. Son las _____ y

_____.

D. Prepositions (10 points); *lesson 17*.

Complete the sentences.

1. (in) _____ el árbol hay dos pájaros.

2. (under) _____ _____ árbol hay una bicicleta.

3. (around) _____ _____ la casa hay muchas flores.

4. (through) La muchacha mira _____ la ventana.

5. (behind) Hay otra calle _____ _____ la casa.

6. (in front of) _____ _____ la escuela hay un policía.

7. (near) Hay un automóvil _____ _____ la tienda.

8. (far from) La madre no está _____ _____ su hijo.

9. (on) Hay muchos libros _____ la mesa.

10. (next to) _____ _____ _____ la casa hay un garaje.

284

E. Weather expressions (10 points); *lesson 22.*

¿Qué tiempo hace?

1. _____   2. _____

3. _____   4. _____

5. _____   6. _____

7. _____   8. _____

9. _____   10. _____

F. Numbers (10 points); *lesson 18.*

Write the numbers in Spanish.

1. (11) _____ casas

2. (13) _____ sombreros

3. (30) _____ alumnos

4. (15) _____ ventanas

5. (50) _____ dólares

6. (66) _____ y _____ automóviles

7. (73) _____ y _____ muchachas

8. (88) _____ y _____ árboles

9. (95) _____ y _____ gatos

10. (100) _____ hombres

G. Possessive adjectives (10 points); *lesson 15.*

Choose the correct word and write it in the blank.

1. (our) _____ amigos
(nuestro, nuestra, nuestros,
nuestras)

2. (her) _____ libro (su,
sus)

3. (my) _____ casas
(mi, mis)

4. (your) _____ tías (tu,
tus)

5. (his) _____ lección
(su, sus)

6. (their) _____ pro-
fesor (su, sus)

7. (your) _____ auto-
móvil (tu, tus)

8. (his) _____ familia
(su, sus)

9. (her) _____ amigas
(su, sus)

10. (my) _____ periódi-
cos (mi, mis)

H. Reading comprehension (10 points).

Pablo entra en un restaurante. Tiene hambre, mucha hambre. Mira su reloj. Son las tres de la tarde. En la calle hace mucho frío. Es el veinte y cuatro de diciembre, y la nieve cubre toda la ciudad.

Pablo dice al camarero: "Quiero comer rápido. Tengo que comprar muchas cosas. ¿Hay bistec con papas fritas?"

El camarero contesta: "No, señor, no tenemos más bistec. Pero tenemos pollo frito, y está muy rico (delicious) hoy."

"Está bien," dice Pablo. "Quiero medio pollo con una ensalada, y también un plato de sopa caliente; tengo mucho frío."

"Muy bien, señor," responde el camarero. "¿Quiere café?"

"No, gracias, eso es todo," contesta Pablo.

Preguntas

Choose the correct answer. Circle the letter of your choice.

1. ¿Qué hora es cuando Pablo entra en el restaurante?

   a. Son las dos y media.
   c. Son las cuatro menos tres.
   b. Son las tres.
   d. Es la una y tres.

2. ¿Por qué quiere comer rápido?

   a. Tiene frío.
   c. Tiene calor.
   b. Tiene hambre.
   d. Tiene que comprar cosas.

3. ¿Qué quiere comer Pablo?

   a. carne
   c. helado
   b. frutas
   d. sólo papas fritas

4. ¿Por qué quiere sopa caliente?

   a. No hay café.
   c. Tiene mucho frío.
   b. Quiere comer rápido.
   d. No tiene hambre.

5. ¿Qué día es la Navidad?

   a. el veinte y cinco de diciembre
   c. el veinte de enero
   b. el quince de diciembre
   d. el cinco de febrero

I. Expressions (5 points).

Answer in complete sentences:

1. ¿Cuántos años tiene usted?

_____

2. ¿Tiene usted frío en el verano?

_____

3. ¿Qué tiempo hace hoy?

_____

4. ¿Qué hora es?

_____

5. ¿Cuáles son las lenguas oficiales de Las Naciones Unidas?

_____

Spanish–English Vocabulary

Note: 1. In the Spanish alphabet, **ch** and **ll** are treated as separate letters. Thus, for example, **ch** comes after **cu,** and **ll** comes after **lu.**
2. Nouns that have a masculine and a feminine form are presented in the same style as adjectives. For example, **abogado, -a** stands for **el abogado** (male lawyer) and **la abogada** (female lawyer); **profesor, -ra** represents **el profesor** (male teacher) and **la profesora** (female teacher).

A

a, to, at; **a las dos** at 2 o'clock
abierto, -a open
abogado, -a lawyer
el **abrigo** overcoat
abril April
abrir to open
la **abuela** grandmother
el **abuelo** grandfather; **los abuelos** grandparents
aceptar to accept
la **actividad** activity
además besides, in addition
adiós good-bye
¿adónde? (to) where?; **¿adónde va Ud.?** where are you going?
el **aeropuerto** airport
la **agencia de viajes** travel agency
agosto August
agradable pleasant, nice
el **agua** (*f*) water
ahora now
el **aire** air
alegre happy
alemán, alemana German
Alemania Germany
algo something, anything; **¿hay algo más?** is there anything else?
el **algodón,** cotton
Alicia Alice
el **almuerzo** lunch
alrededor (de) around
alto, -a tall
alumno, -a pupil, student
allí there
amable kind, nice
amarillo, -a yellow
americano, -a American
amigo, -a friend

el **amor** love
anaranjado, -a orange (*color*)
andar to walk, to go
antes de before
Antonio Anthony
el **anuncio** announcement; **anuncio comercial** advertisement
el **año** year; **tener ... años** to be ... years old; **¿cuántos años tiene Ud.?** how old are you?
el **apartamento** apartment
aprender to learn
aquí here
el **árbol** tree; **árbol de Navidad** Christmas tree
el **arroz** rice; **arroz con pollo** chicken with rice
así so, therefore; **así así** so-so
el **auto** car
el **autobús** bus
el **automóvil** automobile
la **avenida** avenue
el **avión** airplane
¡Ay! Oh! (*expression of distress*)
el (la) **ayudante** assistant
ayudar to help
el **azúcar** sugar
azul blue

B

bailar to dance
el **baile** dance
bajo, -a low, short; **a precios bajos** at low prices
el **banco** bank; bench
la **bandera** flag
el **baño** bath; **el cuarto de baño** bathroom; **el traje de baño** bathing suit

la **basura** garbage
el **bebé** baby
beber to drink
la **bebida** beverage, drink
el **béisbol** baseball
la **biblioteca** library
la **bicicleta** bicycle
bien well
el **bistec** steak
blanco, -a white
la **blusa** blouse
la **boca** mouth
el **bombero** fireman
bonito, -a pretty
botánico, -a botanical
la **botella** bottle
el **brazo** arm
la **brisa** breeze; **brisa del mar** sea breeze
bueno, -a good; (*m*) all right, O.K.; **¡Buen viaje!** Have a nice trip!; **¡Qué bueno!** How nice!
el **burro** mule
buscar to look for

C

el **caballo** horse
la **cabeza** head
cada each, every
el **cadáver** corpse, dead body
el **café** coffee; cafe
caliente warm, hot
el **calor** heat; **hacer calor** to be warm or hot (*weather*); **tener calor** to be (= feel) warm or hot; **hace calor hoy** it's warm today; **tengo calor** I am warm
la **calle** street
la **cama** bed
la **camarera** waitress
el **camarero** waiter
la **camisa** shirt
el **campo** country (= the opposite of city)
cansado, -a tired
cantar to sing
la **cara** face
Carlos Charles
la **carne** meat; **carne de vaca** beef
la **carnicería** butcher shop
el **carpintero** carpenter
el **cartero** mailman, letter carrier
la **casa** house, home; **en casa** at home
casi almost
el **caso** case
el **castellano** Castilian, Spanish (language)
catorce fourteen
celebrar to celebrate
célebre famous

la **cena** supper
el **centavo** cent, penny
Centroamérica Central America
cerca de near
cerrado, -a closed
el **cielo** sky
cien, ciento one hundred; **por ciento** percent
el **científico** scientist
cinco five
cincuenta fifty
el **cine** movie theater; **ir al cine** to go to the movies
el **cinturón** belt
la **ciudad** city
la **clase** class; kind, type; **la clase de español** Spanish class; **no hay clases hoy** there's no school today; **muchas clases de** many kinds of; **¿qué clase de?** what kind of?
el (la) **cliente** customer
la **cocina** kitchen
el **coctel** cocktail
el **coche** car
el **cochino** pig
el **comedor** dining room
comer to eat
las **comestibles** groceries; **la tienda de comestibles** grocery store
la **comida** meal; food
como as, like; **¿cómo?** how?; **¿Cómo está Ud.?** How are you?
compañero, -a, companion
comprador, -ra buyer, customer, shopper
comprar to buy
comprender to understand
con with
conmigo with me
contento, -a glad, happy
contestar to answer
el **corazón** heart
la **corbata** necktie
el **correo** post office
correr to run
corto, -a short
la **cosa** thing
costar to cost; **cuesta** it costs
la **crema** cream
la **criada** maid, servant
el **crucigrama** crossword puzzle
el **cuaderno** notebook
¿cuál? cuáles? which? what?
cuando when; **¿cuándo?** when?
¿cuánto, -a? how much? **¿cuántos, -as?** how many
cuarenta forty
el **cuarto** room; **cuarto de baño** bathroom
cuarto: es la una y cuarto it's a quarter past one (o'clock), it's 1:15

cuatro four
cubrir to cover
el **cuello** neck
el **cuerpo** body
el **cumpleaños** birthday
la **chaqueta** jacket
la **chica** girl
el **chico** boy
chino, -a, Chinese
chocolate chocolate

D

dar to give (**yo doy**)
de of, from; **la hermana de María** Mary's
  sister
debajo de under, beneath
decir to say, to tell (**yo digo, tú dices, Ud.
  dice,** etc.—see page 257)
el **dedo** finger
delante de in front of
delicioso, -a delicious
el (la) **dependiente** clerk (in a store)
el **deporte** sport
el **desayuno** breakfast
el **descubrimiento** discovery
desear to wish, to want
detrás de in back of, behind
el **día** day; **Buenos días** Good morning; **día
  de fiesta** holiday; **todo el día** all day;
  todos los días every day
el **diccionario** dictionary
diciembre December
los **dientes** teeth
diez ten; **diez y nueve** nineteen; **diez y
  ocho** eighteen; **diez y seis** sixteen; **diez y
  siete** seventeen
difícil difficult, hard
el **dinero** money
Dios God
director, -ra, director; (school) principal
el **disco** phonograph record
dividido por divided by
dividir to divide
doce twelve
la **docena** dozen
el **dólar** dollar
el **domingo** Sunday
¿dónde? where?
el **dormitorio** bedroom
dos two
doy I give
dulce sweet; **el dulce** piece of candy; **los
  dulces** candy, sweets
durante during

E

el **edificio** building
el **ejercicio** exercise
él he; **ella** she; **ellos(-as)** they
el **elefante** elephant
en in, on
encima (de) on top (of)
enero January
enfermero, -a nurse
enfermo, -a sick, ill; (*noun*) sick person,
  patient
enorme enormous, huge
la **ensalada** salad
entonces then; in that case
entrar (en) to enter; **entrar en la clase** to
  enter (come into) the class
escribir to write
escuchar to listen (to)
la **escuela** school
eso that; **eso es todo** that's all; **por eso** for
  that reason
español, -la Spanish; (*m*) Spaniard, (*f*)
  Spanish woman
la **esposa** wife
el **esposo** husband
la **estación** season; station
los **Estados Unidos** United States
estar to be (**yo estoy, tú estás, Ud. está,**
  etc.—see page 135); **está bien** O.K., all right
este, esta this; **esta noche** tonight
el **estómago** stomach
la **estrella** star
el (la) **estudiante** student
estudiar to study
el **estudio** study
estúpido, -a stupid
el **examen** (*pl.* **exámenes**) examination,
  test

F

fácil easy
la **falda** skirt
famoso, -a famous
la **farmacia** pharmacy, drugstore
el **favor** favor; **por favor** please
febrero February
la **fecha** date
feo, -a ugly
la **fiebre** fever
la **fiesta** party; **el día de fiesta** holiday
el **fin** end; **al fin** at last
la **finca** farm
flaco, -a thin, skinny
la **flor** flower
francés, francesa French; (*m*) Frenchman;
  (*f*) Frenchwoman

Francia France
Francisco Francis, Frank
frecuencia: con frecuencia frequently
fresco, -a fresh; **hace fresco** it's cool
  (*weather*)
los frijoles beans
frío, -a cold; **hacer frío** to be cold (*weather*);
  tener frío to be (= feel) cold; **hace frío
  hoy** it's cold today; **tengo frío** I'm cold;
  estar frío, -a to be cold (*liquids or objects*);
  el agua está fría the water is cold
frito, -a fried
la fruta fruit

G

la gallina hen
ganar to win; to earn
el garaje garage
el gatito kitten
el gato cat
la gente people
gordo, -a fat
gracias thanks, thank you; **muchas
  gracias** thanks very much
grande big, large, great
el guante glove
guapo, -a handsome
gustar to please (someone): **me gusta(n)** I
  like (see Lesson 16)

H

la habitación room
hablar to speak, to talk
hacer to do, to make **(yo hago); hace buen
  tiempo** the weather is nice; **hace calor** it's
  warm (hot); **hace fresco** it's cool (chilly);
  hace frío it's cold; **hace mal tiempo** the
  weather is bad; **hace sol** it's sunny; **hace
  viento** it's windy; **¿Qué tiempo hace?**
  How's the weather?
el hambre (*f*) hunger; **tener hambre** to be
  hungry
la hamburguesa hamburger
hasta until; **Hasta la vista** I'll be seeing
  you, See you later; **Hasta mañana** See you
  tomorrow; **Hasta luego** See you later
hay there is, there are; **no hay** there isn't,
  there aren't; **no hay clases hoy** there's no
  school today
el helado ice cream; **helado de
  vainilla** vanilla ice cream
la hermana sister
el hermano brother
la hierba grass
la hija daughter

el hijo son; **los hijos** sons *or* son(s) and
  daughter(s)
la hoja leaf
hola hello
el hombre man
la hora hour; **¿Qué hora es?** What time is
  it?
hoy today
el huevo egg; **huevos fritos** fried eggs

I

la iglesia church
importa: no importa it doesn't matter, never
  mind
importante important
imposible impossible
Inglaterra England
inglés, inglesa English; (*m*) Englishman;
  (*f*) Englishwoman
inteligente intelligent
interesante interesting
el invierno winter
ir to go **(yo voy, tú vas, Ud. va**, etc.—see
  page 211); **ir a pie** to walk (instead of ride);
  ir en coche to go by car, to ride
la isla island
Italia Italy
italiano, -a Italian

J

el jamón ham
el jardín garden; **jardín botánico** botanical
  garden
Jorge George
José Joseph
joven young
Juan John; **Juanito** Johnny
el jueves Thursday
el jugo juice; **jugo de naranja** orange juice
julio July
junio June

L

el laberinto labyrinth (*place containing
  passageways and blind alleys*)
los labios lips
el lado side; **al lado de** next to, beside
el lago lake
la lámpara lamp
la lana wool
el lápiz (*pl* **lápices**) pencil
largo, -a long
la lata (tin) can
la lección lesson

la **leche** milk
la **lechería** dairy
la **lechuga** lettuce
leer to read
la **legumbre** vegetable
lejos de far from
la **lengua** tongue, language
el **león** lion
levantar to lift, raise; **levantarse** to get up:
  yo me levanto I get up
la **libra** pound
libre free
la **librería** bookstore
el **libro** book
limpiar to clean
la **lista de platos** menu
el **litro** liter (= 1.06 quarts)
el **lobo** wolf
loco, -a crazy; (*noun*) crazy person, lunatic
el **lugar** place
Luisa Louise
el **lunes** Monday

LL

llamar to call; **¿cómo se llama Ud.?** What
  is your name?; **yo me llamo Susana** my
  name is Susan; **él se llama Pablo** his
  name is Paul
llegar to arrive
llevar to wear
llueve it's raining

M

la **madre** mother
maestro, -a teacher (in an elementary
  school); (*m*) master
¡Magnífico! Great! Wonderful!
malo, -a bad
la **mano** hand
la **mantequilla** butter
la **manzana** apple
mañana tomorrow; **de la mañana** A.M., in
  the morning
el **mar** sea, ocean
María Mary
el **martes** Tuesday
marzo March
más more; **más de, más que** more than
la **matemáticas** mathematics
la **matrícula** license-plate number
mayo May
la **mayonesa** mayonnaise
la **medianoche** midnight
médico, -a physician, doctor

medio, -a half; **es la una y media** it is half
  past one (o'clock)
el **mediodía** noon
menos minus
el **mercado** market
el **mes** month
la **mesa** table; desk
el **método** method
mexicano, -a Mexican
mi, mis my
el **miércoles** Wednesday
mirar to look (at); **mirar la televisión** to
  watch television
mismo, -a same
la **moda** fashion, style; **de última moda** in
  the latest style
moderno, -a modern
el **mono** monkey, ape
el **monstruo** monster
monstruoso, -a monstrous
moreno, -a brunette
la **mostaza** mustard
la **motocicleta** motorcycle
la **muchacha** girl
el **muchacho** boy
mucho, -a much, a great deal (of), a lot (of);
  muchos, -as many; **tengo mucho
  calor** I'm very warm
la **mujer** woman
el **mundo** world; **todo el mundo** everybody
el **museo** museum
la **música** music
muy very

N

el **nacimiento** birth
la **nación** nation; **las Naciones Unidas** the
  United Nations
la **nacionalidad** nationality
nada nothing; **de nada** you're welcome
nadar to swim
la **naranja** orange
la **nariz** nose
la **Navidad** Christmas; **¡Feliz
  Navidad!** Merry Christmas!
necesario, -a necessary
necesitar to need
negro, -a black
la **nena** girl baby
el **nene** boy baby
nieva it is snowing
niño, -a child
no no, not, isn't, aren't, doesn't, don't, etc.; **yo
  no nado** I don't swim
la **noche** night; **Buenas noches** Good
  evening; **todas las noches** every night

norteamericano, -a North American
(= citizen of the U.S.A.)
nosotros, -as we
noventa ninety
noviembre November
la **nube** cloud
nuestro, -a our
nueve nine
nuevo, -a new
el **número** number; **número de
teléfono** telephone number
nunca never

O

o or
octubre October
ochenta eighty
ocho eight
la **oficina** office
ofrecer to offer **(yo ofrezco)**
el **ojo** eye; **ojos pardos** brown eyes
once eleven
la **oportunidad** opportunity
la **oreja** ear
el **otoño** autumn, fall
otro, -a other, another

P

el (la) **paciente** patient
Paco Frankie
el **padre** father; **los padres** parents
pagar to pay
el **país** country
el **pájaro** bird
la **palabra** word
la **palmera** palm tree
el **pan** bread; **pan tostado** toast
la **panadería** bakery
los **pantalones** pants, trousers
la **papa** potato; **papas fritas** french fried
potatoes
el **papá** daddy, papa
el **papel** paper
el **paquete** package
el **par** pair
para for; to, in order to
el **parque** park
pasar to pass; to happen; **¿qué te
pasa?** what's the matter with you?
la **Pascua Florida** Easter
el **pato** duck
la **paz** peace
el **pedazo** piece
Pedro Peter
la **película** film, movie

el **pelo** hair
Pepe Joe
pequeño, -a small
el **periódico** newspaper
pero but
el **perrito** puppy
el **perro** dog
el **pez** fish (alive and swimming)
el **pie** foot; **ir a pie** to walk (instead of ride)
la **pierna** leg
la **pintura** painting
la **piña** pineapple
la **pistola** pistol, handgun
la **pizarra** blackboard, chalkboard
la **planta** plant
el **plato** plate, dish; **la lista de platos** menu
la **playa** beach
la **pluma** pen
pobre poor
poco, -a little (in quantity); **un poco de
agua** a little water; **pocos, -as** few
el **policía** policeman
el **pollo** chicken
por by, through, (in exchange) for; "times"
($\times$); **dividido por** divided by; **3 días por
semana** 3 days a (per) week; **por ciento**
percent; **por ejemplo** for example; **por
eso** for that reason; **por favor** please; **¿por
qué?** why?
porque because
el **postre** dessert
practicar to practice
el **precio** price; **a precios bajos** at low prices
la **pregunta** question
preguntar to ask
preparar to prepare
la **primavera** spring(time)
primer, primero, -a first
profesor, -ra teacher
pronto soon
el **pudín** pudding
puedo: ¿en qué puedo servirle(s)? what
can I do for you?
el **puerco** pork, pig
la **puerta** door; **la puerta está abierta** the
door is open; **la puerta está cerrada** the
door is closed
puertorriqueño, -a Puerto Rican
pues well, then
el **puesto** post, stand; **puesto de
periódicos** newsstand
el **puré de papas** mashed potatoes

Q

que that; than; **más que** more than; **¿qué?**
what? which?; **¿qué otra cosa?** what else?;
¿Qué tal? How's everything?; **¡Qué
trabajo!** What a job!

querer to want (**yo quiero, tú quieres, Ud. quiere,** etc.—see page 220)

el **queso** cheese

¿**quién**? ¿**quiénes**? who?

quince fifteen

quizás maybe, perhaps

R

rápido, -a fast, rapid

el **ratón** mouse

recibir to receive

el **regalo** gift, present

la **regla** ruler; rule

regresar to return, to go back

el **reloj** clock; wristwatch

reparar to repair, to fix

el **resfriado** cold; **tener un resfriado** to have a cold

responder to respond, to answer, to reply

la **respuesta** answer

el **restaurante** restaurant

la **revista** magazine

Ricardo Richard

rico, -a rich

rojo, -a red

romántico, -a romantic

la **ropa** clothes, clothing

la **rosa** rose

rubio, -a blond

S

el **sábado** Saturday

saber to know (**yo sé**); to know how; ¿**sabes nadar**? do you know how to swim?

la **sala** living room

la **salchicha** sausage, frankfurter

salir to leave, to go out (**yo salgo**); **salir de la casa** to leave the house

salvaje wild, savage

secretario, -a secretary

segundo, -a second

seis six

la **semana** week

sentado, -a seated

la **señora** lady; Mrs.

la **señorita** young lady; Miss

septiembre September

ser to be (**yo soy, tú eres, Ud. es,** etc.—see page 104)

serio, -a serious

servir to serve; ¿**en qué puedo servirle(s)**? what can I do for you?

sesenta sixty

si if

sí yes

siempre always

siete seven

sin without

sobre on, on top of; about, regarding

el **sol** sun; **hace sol** (or **hay sol**) it's sunny

solo, -a alone; **sólo** only

el **sombrero** hat

son (a form of **ser**) is, are; equals (=); **son las tres** it's three o'clock

la **sopa** soup; **sopa de legumbres** vegetable soup

soy (a form of **ser**) I am

su, sus your, his, her, their

Sudamérica South America

el **suelo** ground, floor

el **suéter** sweater

sufrir to suffer

Suiza Switzerland

el **supermercado** supermarket

T

también also, too

tanto, -a so much

tarde late; **más tarde** later

la **tarde** afternoon; **Buenas tardes** Good afternoon; **de la tarde** P.M., in the afternoon

la **tarea** task, homework assignment; (*pl*) homework (= all homework assignments for a given day)

el **taxi** taxi, cab

el **té** tea

el **teatro** theater

el **techo** roof, ceiling

el **teléfono** telephone

la **televisión** television; **mirar la televisión** to watch television

el **televisor** TV set

tendero, -a storekeeper, grocer

tener to have (**yo tengo, tú tienes, Ud. tiene,** etc.—see page 152); **tener . . . años** to be . . . years old; **tener calor** to be (= feel) warm, hot; **tener frío** to be (= feel) cold; **tener hambre** to be hungry; **tener sed** to be thirsty; **tener que** + *infinitive* to have to: **tengo que ir** I have to go

la **tía** aunt

el **tiempo** time; weather; ¿**qué tiempo hace**? how's the weather?; **hace buen (mal) tiempo** the weather is nice (bad)

la **tienda** store; **tienda de comestibles** grocery store

el **tigre** tiger

el **tío** uncle

el **tocino** bacon

todo everything; **todos, -as** all (of them); **todo el día** all day; **todo el mundo** everybody; **todos los días** every day

tomar to take; **tomar el desayuno** to have breakfast
el **tomate** tomato
tonto, -a foolish, silly; (*noun*) fool
el **toro** bull
trabajar to work; **trabajar mucho** to work hard
el **trabajo** work
el **traje** suit; dress; **traje de baño** bathing suit, swimsuit
el **transporte** transportation
trece thirteen
treinta thirty
el **tren** train
tres three
triste sad
tú you (*familiar*)
tu, tus your (*familiar*)
el (la) **turista** tourist

U

último, -a last; **de última moda** in the latest fashion
la **universidad** university, college
un, una a, one; **uno** (number) one; **unos, -as** some, a few
usar to use
usted (Ud.) you (*formal singular*); **ustedes (Uds.)** you (*plural*)
útil useful

V

la **vaca** cow; **la carne de vaca** beef
las **vacaciones** vacation
¡vamos! (**¡vámonos!**) let's go!
el **vaso** (drinking) glass
veinte twenty

el **vendedor** salesman, seller
vender to sell
la **venta** sale
la **ventana** window
ver to see (**yo veo**)
el **verano** summer(time)
la **verdad** truth; **es verdad** it's true; **¿verdad?** isn't it so?
verde green
las **verduras** vegetables, greens (*used only in the plural*)
el **vestido** dress
la **vez** (*pl* **veces**) time; **la segunda vez** the second time
viajar to travel
el **viaje** trip, journey, voyage; **el agente de viajes** travel agent; **¡Buen viaje!** Have a pleasant trip!
viejo, -a old
el **viento** wind; **hace viento** it's windy
el **viernes** Friday
la **vida** life
el **vino** wine
visitar to visit
la **víspera** eve
vivir to live

Y

el **yogur** yogurt
y and; plus
yo I

Z

la **zapatería** shoe store; shoemaker's shop
el **zapato** shoe
el **zorro** fox

English–Spanish Vocabulary

A

a, an un, una
afternoon la tarde; **Good afternoon** Buenas tardes
air el aire
airplane el avión
airport el aeropuerto
alone solo, -a
also también
am: I am yo soy, yo estoy
ambulance la ambulancia
American americano, -a; norteamericano, -a
and y
another otro, -a
answer la respuesta; contestar, responder
apple la manzana
April abril
are: you are (tú) eres, Ud. es, Uds. son; (tú) estás, Ud. está, Uds. están; **they are** (ellos, ellas) son, están; **there are** hay
arm el brazo
around alrededor (de)
ask preguntar
at a; **at home** en casa; **at one o'clock** a la una; **at two o'clock** a las dos; **at what time?** ¿a qué hora?
August agosto
automobile el automóvil
autumn el otoño

B

baby el nene, la nena, el bebé
bacon el tocino
bad malo, -a
bakery la panadería
banana la banana
bank el banco
baseball el béisbol
bath el baño
bathing suit el traje de baño
bathroom el cuarto de baño
be ser, estar (see page 122); **to be cold** estar frío, -a; (= *to feel cold*) tener frío; (*weather*) hacer frío; **to be warm,** estar caliente; (= *to feel warm*) tener calor; (*weather*) hacer calor; **to be hungry,** tener hambre; **to be**
thirsty tener sed; **to be . . . years old,** tener . . . años: **I am ten years old,** tengo diez años
beach la playa
beans los frijoles
bear el oso
because porque
bed la cama
bedroom el dormitorio
behind detrás (de)
belt el cinturón
bench el banco
bicycle la bicicleta
big grande
birthday el cumpleaños
black negro, -a
blackboard la pizarra
blouse la blusa
blue azul
book el libro
bookstore la librería
bottle la botella
boy el muchacho, el chico
bread el pan
breakfast el desayuno; **to have breakfast** tomar el desayuno
breeze la brisa
brother el hermano; **brother(s) and sister(s)** los hermanos
brown pardo, -a, castaño, -a, café; **brown eyes** los ojos pardos
building el edificio
bull el toro
bus el autobús
butcher shop la carnicería
butter la mantequilla
buy comprar

C

cab el taxi
call llamar
candy el dulce, los dulces
car el auto, el coche
cat el gato
cent el centavo
chalkboard la pizarra
cheese el queso

cherry la cereza
chicken el pollo
child el niño, la niña; **children** los niños;
  Mr. Smith's children los hijos del Sr.
  Smith
chilly: **it is chilly** hace fresco
chocolate el chocolate; **chocolate ice
  cream** el helado de chocolate
Christmas la Navidad; **Christmas Eve** la
  nochebuena
church la iglesia
cigarette el cigarrillo
city la ciudad
class la clase; **in class** en la clase
clock el reloj
closed: **the door is closed** la puerta está
  cerrada
clothes, clothing la ropa
cloud la nube
coat el abrigo
cold frío, -a; **to be cold** estar frío, -a; (= to
  feel cold) tener frío; (weather) hacer frío; **to
  have a cold** tener un resfriado
college la universidad
Columbus Day el Día de la Raza
come into entrar en
cool fresco, -a; **it's cool (weather)** hace
  fresco
cost el precio
country (nation) el país; (rural area) el
  campo
cover cubrir
cow la vaca
crazy loco, -a
cream la crema
cup la taza; **cup of coffee** taza de café

D

dairy la lechería
dance el baile; bailar
daughter la hija
day el día
December diciembre
delicious delicioso, -a
dentist el (la) dentista
desk la mesa
dessert el postre
dictionary el diccionario
difficult difícil
dining room el comedor
dish el plato
divide dividir; **divided by** dividido por
do, does hacer (yo hago); **to do the
  homework** hacer la(s) tarea(s); **do they
  sing?** ¿cantan ellos?; **he does not study** él
  no estudia; **doesn't she dance?** ¿no baila
  ella?
doctor el doctor, la doctora, el médico, la
  médica

dog el perro
dollar el dólar
door la puerta; **the door is open (closed)** la
  puerta está abierta (cerrada)
dress el vestido
drink la bebida; beber
duck el pato
during durante

E

ear la oreja
earn ganar
Easter la Pascua Florida
easy fácil
eat comer
egg el huevo; **fried eggs** huevos fritos
eight ocho
eighteen diez y ocho
eighty ochenta
elephant el elefante
eleven once
end el fin
England Inglaterra
English el inglés; inglés, inglesa
enter entrar
everybody todo el mundo
eye el ojo

F

face la cara
fall el otoño
family la familia
famous famoso, -a, célebre
far (from) lejos (de)
farm la finca, la granja
fast rápido, -a
fat gordo, -a
father el padre
favorite favorito, -a
February febrero
fever la fiebre
fifteen quince
fifty cincuenta
finger el dedo
fireman el bombero
first primer, primero, -a
five cinco
flag la bandera
flower la flor
food la comida
foot el pie
forty cuarenta
four cuatro
fourteen catorce
Fourth of July el Cuatro de Julio, el Día de
  la Independencia

fox el zorro
France Francia
French el francés; francés, francesa
french fries las papas fritas
Friday el viernes
friend el amigo, la amiga
from de
front: in front of delante de
fruit la fruta

G

garage el garaje
garden el jardín
Germany Alemania
girl la muchacha, la chica
give dar (yo doy)
glass el vaso; **glass of milk** vaso de leche
glove el guante
go ir (see page 211); **to go in(to)** entrar en; **to
be going to (do something)** ir a + *inf.*:
I'm going to read voy a leer
good bueno, -a; **Good morning** Buenos días;
Good afternoon Buenas tardes; **Good
evening** (*or* **Good night**) Buenas noches
good-bye adiós
grandfather el abuelo
grandmother la abuela
grandparents los abuelos
grocer el tendero, la tendera
grocery la tienda de comestibles
green verde
ground el suelo

H

hair el pelo
Hallowe'en la víspera de Todos los Santos
ham el jamón
hamburger la hamburguesa
hand la mano (*f*)
handsome guapo, -a
happy: to be happy estar contento(-a), estar
alegre, ser feliz
hard difícil; **to work hard** trabajar mucho
hat el sombrero
have tener (see page 152); **to have lunch**
tomar el almuerzo; **to have to** tener
que + *inf.*: **I have to leave** tengo que salir
he él
head la cabeza
heart el corazón
hello hola
help ayudar
hen la gallina
her su, sus, de ella
here aquí
his su, sus, de él

hog el cochino
holiday el día de fiesta (*pl* los días de fiesta)
home: to be (at) home estar en casa
horse el caballo
hospital el hospital
hot (muy) caliente; **to be hot** estar muy
caliente; (= *to feel hot*) tener mucho calor;
(*weather*) hacer mucho calor
hotel el hotel
house la casa
how? ¿cómo?; **how are you?** ¿cómo está
Ud.?; **how much?** ¿cuánto, -a?; **how
many?** ¿cuántos, -as?
hundred cien, ciento; **a hundred
dollars** cien dólares; **one hundred fifty
dollars** ciento cincuenta dólares
hunger el hambre (*f*)
hungry: to be hungry tener hambre
husband el esposo

I

ice cream el helado
if si
important importante
in en; **in class** en la clase
intelligent inteligente
is: he is, she is (él, ella) es, (él, ella) está
island la isla
it (*subject*) él, ella (*usually not expressed*); **it
is one o'clock** es la una; **it is two o'clock
(three o'clock,** etc.) son las dos (las tres,
etc.); **I like it** me gusta
Italy Italia

J

jacket la chaqueta
January enero
juice el jugo; **orange juice** jugo de naranja
July julio; **Fourth of July** el Cuatro de
Julio, el Día de la Independencia
June junio

K

kitchen la cocina
kitten el gatito
know saber (yo sé); **to know how to (do
something)** saber + *inf.*: **she knows how
to swim** ella sabe nadar

L

lake el lago
lamp la lámpara

large grande
last último, -a
lawyer el abogado, la abogada
leaf la hoja
learn aprender
leave salir (yo salgo); **to leave school** salir de la escuela
leg la pierna
lemon el limón
lesson la lección
letter la carta; **letter carrier** el cartero, la cartera
lettuce la lechuga
library la biblioteca
life la vida
like *use gustar, Lesson 16*; **I like the book** me gusta el libro; **do you like the photos?** ¿te gustan las fotos?
lion el león
lip el labio
listen (to) escuchar
little (*in size*) pequeño, -a; (*in quantity*) poco, -a
live vivir
living room la sala
long largo, -a
look (at) mirar
look for buscar
lot: a lot (of) mucho, -a; **lots of** muchos, -as
lunch el almuerzo; **to have lunch** tomar el almuerzo

M

magazine la revista
mailman el cartero
man el hombre
March marzo
market el mercado
mashed potatoes el puré de papas
matter: it doesn't matter no importa
May mayo
maybe quizás
mayonnaise la mayonesa
me me
meal la comida
meat la carne
medicine la medicina
menu la lista de platos
midnight la medianoche
milk la leche
minus menos
modern moderno, -a
Monday el lunes
money el dinero
monkey el mono
month el mes
morning la mañana; **Good morning** Buenos días

mother la madre
motorcycle la motocicleta
mouse el ratón
mouth la boca
movie la película
movies el cine; **to go to the movies** ir al cine
mule el burro
music la música; **to listen to the music** escuchar la música
mustard la mostaza
my mi, mis

N

name el nombre; **what's your name?** (*familiar*) ¿cómo te llamas?, (*formal*) ¿cómo se llama Ud.?; **my name is Mary,** (yo) me llamo María; **what's his (her) name?** ¿cómo se llama él (ella)?; **his (her) name is . . . ,** se llama . . . ; **their names are . . . ,** se llaman . . .
near cerca (de)
necktie la corbata
new nuevo, -a; **New Year's Day** el Año Nuevo; **New Year's Eve** la víspera del Año Nuevo
newspaper el periódico
next próximo, -a; **next to** al lado de
nice buen, bueno, -a; (*person*) amable, simpático, -a
night la noche; **Good night** Buenas noches
nine nueve
nineteen diez y nueve
ninety noventa
noon el mediodía
nose la nariz
notebook el cuaderno
nothing nada
November noviembre
now ahora
number el número; **telephone number** el número de teléfono

O

ocean el mar
o'clock: at one o'clock a la una; **at two o'clock (three o'clock, etc.)** a las dos (las tres, etc.); **it's one o'clock** es la una; **it's two o'clock (three o'clock, etc.)** son las dos (las tres, etc.)
October octubre
of de
offer ofrecer
old viejo, -a; **how old are you?** ¿cuántos años tiene Ud.?; **I am fifteen years old** tengo quince años

on en, sobre; **on top of** sobre, encima de
one uno, -a
one hundred cien, ciento; **one hundred
    dollars** cien dólares; **one hundred fifty
    dollars** ciento cincuenta dólares
only sólo
open abrir; **the door is open** la puerta está
    abierta
or o
orange la naranja; (*color*) anaranjado, -a;
    orange juice jugo de naranja
ordinary ordinario, -a
other otro, -a
our nuestro, -a

P

palm tree la palmera
pants los pantalones
paper el papel
parents los padres
park el parque
party la fiesta
pass pasar
Patrick Patricio; **St. Patrick's Day** el Día
    de San Patricio
peace la paz
pen la pluma
pencil el lápiz (*pl* lápices)
people la gente
piano el piano
pig el cochino
pineapple la piña
plant la planta
plate el plato
please por favor
plus y
poor pobre
postman el cartero
post office el correo
potato la papa
practice practicar
pretty bonito, -a
price el precio
pudding el pudín
Puerto Rican puertorriqueño, -a
puppy el perrito

Q

question la pregunta; **to ask a
    question** hacer una pregunta

R

radio el radio, la radio; **to listen to the
    radio** escuchar la radio

rain llover; **it's raining** llueve
read leer
receive recibir
record el disco
red rojo, -a
restaurant el restaurante
rice el arroz
rich rico, -a
ride ir en coche
rise levantarse; **I rise (get up)** yo me levanto
romantic romántico, -a
room la habitación, el cuarto; **bathroom** el
    cuarto de baño; **bedroom** el dormitorio;
    dining room el comedor; **living room** la
    sala
rose la rosa
ruler (*for measuring length*) la regla
run correr

S

sad triste
salad la ensalada
salt la sal
sandwich el sandwich
Saturday el sábado
sausage la salchicha
say decir (see page 257)
school la escuela; **in school** en la escuela;
    there's no school today no hay clases
    hoy
sea el mar
season la estación
seated sentado, -a
second segundo, -a
see ver; **I'll be seeing you, See you
    later** Hasta la vista; **See you
    tomorrow** Hasta mañana
sell vender
September septiembre
seven siete
seventeen diez y siete
seventy setenta
she ella
shirt la camisa
shoe el zapato
shoe store la zapatería
sick enfermo, -a
sing cantar
sister la hermana
six seis
sixteen diez y seis
sixty sesenta
skinny flaco, -a
skirt la falda
sky el cielo
small pequeño, -a
snow nevar; **it's snowing** nieva
soda la gaseosa, la soda

something algo

son hijo; **sons** *or* **son(s) and daughter(s)** los hijos

soon pronto

soup la sopa

Spain España

Spanish el español; español, española

speak hablar

sport el deporte

spring la primavera

star la estrella

station la estación

steak el bistec

stomach el estómago

store la tienda

street la calle

student el alumno, la alumna; (*senior high school or university*) el (la) estudiante

study estudiar

stupid estúpido, -a

suffer sufrir

sugar el azúcar

suit el traje; **bathing suit, swimsuit** el traje de baño

summer el verano

sun el sol

Sunday el domingo

sunny: it's sunny hace sol *or* hay sol

supermarket el supermercado

supper la cena; **to have supper** tomar la cena

sweater el suéter

sweet dulce

sweets los dulces

swim nadar

swimsuit el traje de baño

Switzerland Suiza

T

table la mesa

talk hablar

tall alto, -a

taxi el taxi

tea el té

teacher (*elementary school*) el maestro, la maestra; (*high school & college*) el profesor, la profesora

teeth los dientes

telephone el teléfono

television la televisión; **television set** el televisor; **to watch television** mirar la televisión

tell decir (see page 257)

ten diez

thanks, thank you gracias; **thanks very much** muchas gracias

Thanksgiving Day el Día de Acción de Gracias

theater el teatro

their su, sus, de ellos(-as)

there allí; **there is, there are** hay

they ellos, ellas

thin flaco, -a

thing la cosa

thirsty; to be thirsty tener sed

thirteen trece

thirty treinta

three tres

through por

Thursday el jueves

tie la corbata

tiger el tigre

time la vez (*pl* veces); (*clocktime*) la hora: **at what time?** ¿a qué hora?; **what time is it?** ¿qué hora es?

times (×) por

tired: to be tired estar cansado, -a

toast el pan tostado

today hoy

tomato el tomate

tongue la lengua

tooth el diente

top: on top (of) sobre, encima (de)

train el tren

travel agency la agencia de viajes

tree el árbol

Tuesday el martes

twelve doce

twenty veinte

two dos

U

ugly feo, -a

under debajo de

understand comprender

United States los Estados Unidos

university la universidad

use usar

V

vanilla vainilla; **vanilla ice cream** el helado de vainilla

vegetable la legumbre; (*plural only*) las verduras

very muy; **the water is very warm** el agua está muy caliente; **I am very warm** tengo mucho calor; **it's very warm today** hoy hace mucho calor

visit visitar

W

walk ir a pie, andar
want desear, querer (see page 220)
warm caliente; **the water is warm** el agua
  está caliente; **I am warm** tengo calor; **it's
  warm today** hoy hace calor
water el agua (*f*)
weather el tiempo; **how's the weather?**
  ¿qué tiempo hace?; **the weather is
  bad** hace mal tiempo; **the weather is
  nice** hace buen tiempo
Wednesday el miércoles
week la semana
welcome: you're welcome de nada
what? ¿qué?; **at what time?** ¿a qué hora?;
  what's your name? ¿cómo se llama Ud.?
when cuando; **when?** ¿cuándo?
where donde; **where?** ¿dónde?
which? ¿cuál? ¿cuáles?
white blanco, -a
who que; **who?** ¿quién? ¿quiénes?
why? ¿por qué?
wife la esposa
win ganar
wind el viento

window la ventana
windy: it is windy hace viento
wine el vino
winter el invierno
wish desear, querer (see page 220)
with con
wolf el lobo
woman la mujer
word la palabra
work el trabajo; trabajar; **to work
  hard** trabajar mucho
world el mundo
write escribir

Y

year el año; **New Year's Day** el año Nuevo;
  New Year's Eve la víspera del Año Nuevo
yellow amarillo, -a
yes sí
yogurt el yogur
you tú, usted (Ud.), ustedes (Uds.)
young joven (*pl* jóvenes); **young lady** la
  señorita
your tu, tus, su, sus, de Ud., de Uds.

Index